人生の道しるべになる

座右の寓話

戸田智弘

ディスカヴァー携書

248

はじめに

心理学者の河合隼雄は『おはなしの知恵〈新装版〉』（朝日新聞出版）の中で、自然科学の力と対比しながら「おはなし」の力について次のようなことを述べている。

「『私』という人間がこの世に今存在し、しかも必ず死ぬということはまったく不思議なことである」

たとえば、他人の死については自然科学的に解明できるだろう。しかし、自分の家族の死、自分自身の死となるとどうだろうか。それを自然科学的な説明で自分の心の中におさめることは困難である。人間の生や死という問題は合理的な考え方だけで片づけられるものではないからだ。「おはなしは非合理であったり非論理的であったりする」

だからこそ、こういった不思議さを主観的な納得をもって自分の腹におさめる力を「おはなし」は持っている。**人間は「自分の人生を、かけがえのない全き人生として生きる」ために「おはなし」を必要としている**のである。

本書は77の「おはなし」を集めた本である。「おはなし」を選んだ基準は、面白いこと（大衆娯楽性）、教訓や真理、知恵などが含まれていること（有用性）、簡潔であること（大衆性）の三つである。一言でまとめれば、面白くて、ためになる、短い「おはなし」ということになる。

本書には、狭義の寓話（動物・人間の対話や行動などを喩えに使い、教訓をわかりやすく人に伝える作り話）だけでなく、喩え話、逸話、笑い話、実験研究、調査研究、昔話（童話）、神話、思考実験なども含まれている。何らかの〈教え〉がある「短いおはなし」（＝広義の寓話）を集めた本だと考えてもらえればいい。

〈教え〉の内容に注目すると、「おはなし」は二つの種類に分けられる。

一つは、教訓が含まれている「おはなし」で、その典型はイソップ寓話、イエスやお釈迦様の喩え話である。ここに属する「おはなし」は「主人公が擬人化された動物なのか、人間なのか」「作り話なのか、本当にあった話なのか」「自己完結性を備えているので解釈が不要なのか、寓話の意味が文脈に依存するために解説を必要とするのか」といった違いはあるものの、幸福に生きるためのコツや通俗的な処世術を人々に教え諭すことを目的として提供される。

もう一つは、「おはなし」の中に真理や知恵が蓄えられているグループで、その典型が昔話（童話）や神話だ。昔話や神話を荒唐無稽な話、馬鹿げた話とだけとらえるのは大きな間違いであり、実は人間なら誰しもが抱えこまざるを得ない「人生の大問題」を扱っている話も多い。

寓話の魅力は教訓や真理、知恵といった〈教え〉を楽しみながら吸収できることだ。寓話の構造はその核に〈教え〉があり、その核を物語が包みこんでいると説明できる。なぜそのような二重構造をしているのか。〈教え〉を物語で包みこんで差し出すこと——単に〈教え〉を説くだけではない——によってどのような効果が生まれるのだろうか。

一つ目は、説教臭さが減じられることだ。私たちは説教されることに少なからぬ拒否感を覚える。これは子どもから大人まで年齢を問わない。しかし、物語には喜んで耳を傾け、物語の中に含まれている〈教え〉を楽しみながら自分で見つけ出そうする。

二つ目は、抽象的な観念（＝〈教え〉）が具体性を持った物語で表現されることによって、〈教え〉がより理解しやすくなることだ。たとえば、「勇敢であれ」「謙虚であれ」と言われてもその意味するところをつかむのはなかなか難しい。しかし、抽象的な観念を物語に託してわかりやすく表現されることによって、私たちはその意味を了解しやすくなる。

三つ目は、物語に入りこむことで感情が喚起され、〈教え〉がより強く自分の心に刻まれることだ。物語は私たちに、人生のさまざまな問題を擬似的に体験できる機会を提供してくれる。この疑似的な体験によってさまざまな感情——主人公への共感や反発、ストーリーへの期待感、結末に対する驚きや安堵など——が私たちの心の中に沸き起こる。感情を伴う体験は何よりも記憶に残りやすいのだ。

本書は学術書や小説ではないので、どの章から読んでもらっても構わないし、章にこだわらず面白そうな寓話だけを〝つまみ食い〟してもらってもいい。ただし、私の頭の中では、全15章はいくつかのグループに分かれており、そのグループが順序だって並んでいる。

第1～3章は概論である。時間や寿命、幸福、自己決定や意思決定、思考や行動の様式などの身近なテーマを設定し、それに関連する「おはなし」を集めてある。

第4～13章は「人間の心の発達」に着目して並べてある。第4～7章は「人生本番への関門」である青年・成人期の課題、第8～10章は「人生の折り返し地点」である壮年期（中年期）の課題、第11～13章は「人生をまとめる時期」である熟年期（老年期）の課題を取り上げている。

第14・15章はまとめの章である。第14章では「環境問題と人類の責任」、第15章では

「人間らしさと徳」というテーマを設定し、それと関連する「おはなし」を集めた。

第4~13章が人間の心の発達に伴った各段階の課題を扱う塊だとすれば、第14・15章は「人類の課題」について扱う塊である。「個人の心が発達する」のであれば「人類全体の心も発達しうるものだ」いう願いをこめた。


「おはなし」の後には、私の「読み」(=解説文)をつけてある。それを読んでもらえれば「著者の私がそのおはなしをどう解釈したか、その話を糸口にどんなことを考えたのか、さらに自分の生活や人生にどう活かしていこうと思ったのか」がわかるだろう。私の読みは一つの読み方に過ぎない。だから、私の読みを手がかりにしながら、自分の読みを見出してもらえればと思う。

「おはなし」を読んで〈教え〉を引き出す流れは、具体から抽象へという工程である。次にその教訓を「自分の現在の生活や今後の人生にどう活かしていくか」を考える流れは、抽象から具体へという工程である。つまり、具体的な話を読んでそこから抽象的な〈教え〉を引き出し、それを個別具体的な自分の人生へと関連づけていく作業は、具体↓抽象↓具体という能動的な「頭の体操」をしていることになる。

人生は後戻りできない旅である。私たちの誰もが「初めての人生」を歩んでいる。青年・成人期、壮年期、熟年期のどの段階にいる人であっても、みんながその段階の初心者として毎日を生き、その次の段階を見据えながら歩みを進めている。

なじみのない道を歩く旅人にとって道路標識が役に立つのと同様に、常に「初めての人生」を歩んでいる我々にとっても〈道しるべ〉は有益である。寓話は先人が残してくれた人類の貴重な遺産であり、そこにはよく生きるための〈教え〉が凝縮されている。そういう意味で**寓話は〈人生の道しるべ〉になる。**

道に迷ったときや先行きが見えないときはもちろんのこと、苦しいときやつらいとき、勇気が出ないとき、自信を失ったとき、目標を見失ったとき、将来に不安を覚えたとき、はるか昔から語り継がれてきた寓話は、私たちにさまざまな指針を与えてくれるだろう。

著者記す

本書に収録した「おはなし」は、巻末に掲載した資料を出典元としていますが、読みやすくするため、一部表記・表現の改変などを行っています。また、原典には現代では不適切とされる表現も含まれますが、その時代性やオリジナリティを考慮してそのままの引用といたしました。

目次

第3章 行動と思考の選択

第4章 夢と希望と勇気

第5章 才能と継続と努力

第6章 意欲とたくましさと自由

第7章 人間関係の基本ルール

第8章 「諦めと敗北」の美学

第9章 リーダー力と大人の知恵

第10章 りっぱな思想より月並みな格言

第11章 人生一〇〇年時代と老い

第12章 生きる力と死ぬ能力

第13章 人生観と死生観

第14章 環境問題と人類の責任

第15章 「人間らしさ」と徳

第1章

寿命と「時間の使い方」

№01

糸《いと》毬《まり》

ある精が一人の子どもに糸毬を与えて言った。

「これはおまえの人生の糸だ。糸に触らなければ、時間はふつうに過ぎていく。でも、もしも、もっと時間が早く過ぎてほしいなら、この糸を少しだけ引っ張ればいい。そうすれば、一時間が一秒のように過ぎ去ってしまう。だけど注意しておくよ。一度引っ張った糸は、決してもとには戻せないからね。引っ張った糸は煙のように消えてしまうのさ」

子どもは糸を手に取った。

まず、大人に早くなるために、それから愛する婚約者と早く結婚するために、それから子どもたちが大きくなるのを早く見るために、職や利得や名誉を早く手に入れるために、心配事から早く解放されるために、年齢とともにやってきた病気や悲しみを早く避けるために、糸を引いた。

そして、悲しいかな、最後に厄介な老年にとどめを刺すために、糸を引っ張った。

その結果、子どもは精から糸毬を受け取って以来、四ヶ月と六日しか生きていなかった。

人生を〝早送り〟しない

私たちはともするとこ「一日の終わり」や「次の週末」を待ち望んで生活していることがある。そういう、未来を待ち望む気持ちは「現在からその時までの時間」を〝早送り〟することであり、それは自分の寿命を短くしていることと同じである。私たちに残された時間（＝余命）は決して増えることはなくて、減っていく一方なのに——。

たとえば、月曜日の朝に「ああ、一週間が始まる。土曜日まであと五日もある。早く過ぎてほしい」と願ったりする。そう思って生活すると、月曜日から金曜日までは「人生の空白期」になって、その分だけ人生が短くなってしまう。

私たちは**どんなときであっても、今という時間を大切なものとしてとらえ、自分の人生をしっかりと生きる**べきだろう。

№02

黒《こく》白《びゃく》二《に》鼠《そ》のたとえ

物語は、一人の男が荒野で暴れ狂っている象に追いかけられているところから始まる。象から逃げまわる男は、必死で身を隠すところを探し、ちょうど井戸があることに気づいた。男は井戸の底に向かって垂れている木の根をつたって井戸の中に身を潜めた。

ほっとするのも束の間《つかのま》、つかまっている木の根元で何かが動いている。よく見ると黒と白の二匹の鼠《ねずみ》だ。鼠たちは、男が命からがらつかまっている木の根元を交互にかじりはじめた。

一方で、井戸の四方から四匹の毒蛇が男に噛みつこうとしていた。井戸の下を見ると、毒を持った龍が口を開いて、男が落ちてくるのを待ち構えている。彼は恐怖に身を震わせた。

そんな絶体絶命の時、彼の口に五滴の甘い蜜が垂れてきた。彼がつかまっていた木には蜂の巣があり、そこから蜂蜜が垂れてきたのだ。絶望的な状況の中、彼は甘い蜜の喜びを堪能して命の危機を忘れた。そして、男は甘い蜜をさらに求めて、今にもちぎれそうな木の根を揺らしはじめると、巣から蜂が出てきて彼を刺した。その後、荒野に火事が起こり、つかまっていた木が燃えた。

ヒトの寿命＋科学技術＝人間の寿命

グリム童話の「寿命」という話を要約した。

人間の一生は楽しいこともあれば苦しいこともある。その苦しいところを、ロバの運命（古代から荷物の運搬などに使役されてきた）、犬の運命（狩猟犬や番犬として働かされてきた）、猿の運命（芸を仕込まれて見世物にされてきた）と重ねられている。

三〇年を過ぎた後の一八年間は重い荷物（家族や仕事）を背負って必死に働かねばならない。次の一二年間はそれまでの無理がたたって、次第に身体が衰えていく。最後の一〇年は次第に頭のはたらきが鈍くなってきて、間の抜けたことをやってみんなの笑いものになって生きなければならない。


イソップ寓話の中にも、これと似たような寓話が収められている。「馬と牛と犬と人間」という話だ。『イソップ寓話集』（山本光雄訳、岩波文庫）をもとにそのあらすじを紹介しよう。

人間はもともと寿命が短かった。季節は冬、人間は自分で家を建てその中で暮らしていた。寒さや雨、嵐に我慢できなくなった馬、牛、犬が次々と人間のところに来て、家の中に入れてほしいと頼む。人間は馬と牛と犬に「お前の寿命をいくらか分けてくれたら、家の中に入れてやろう」と言った。こうして、人間は馬と牛と犬から寿命をいくらか分けてもらった。

こういうわけで、人間は神様からもらった寿命の間は「無邪気で善良」なのだが、それを過ぎて馬からもらった歳になると「法螺《ほら》吹きで高慢ちき」になり、牛からもらった歳に達すると「支配することに通じ」てきて、犬からもらった歳になると「怒りっぽく口やかましく」なった。


グリム童話もイソップ寓話のいずれも、もともと短かった人間の寿命が、動物から寿命を分けてもらったことで延びたという話である。

これと関連して、人間の寿命はもともと短かったのだが、科学技術の発達によって人間の寿命が延びたという事実について、『人間にとって寿命とはなにか』(本川達雄著、角川新書)を参考にしながら説明しよう。

江戸時代の日本人の寿命は四五歳くらい、一九四七年の寿命は五二歳くらいだった。まあ五〇歳くらいがヒト（生物としての人間）の寿命であろう。ところが、今や日本人の寿命は八〇歳を超えている。

何が寿命を延ばしたのか。医療技術が格段の進歩を遂げたこと、上下水道完備により衛生環境が向上したこと、食料が豊かになったこと、冷暖房設備が整ったことなどが理由として挙げられるだろう。どれもこれも科学技術に支えられたものばかりである。

つまり、現在の長寿は科学技術によって生み出されたものだと言える。だから、五〇歳以上の人間は科学技術によって生かされている「人工生命体」なのである。

No.04

ヘレン・ケラーの逸話

ヘレン・ケラーは、森の散歩から戻った友人に聞いた。「何を観察したの?」。友人は「特に何も」と答えた。これを聞いたヘレン・ケラーは思った。

一時間も森の中を散歩してきて、興味深いものを何も見なかったなんて、ありうるでしょうか。目の見えない私だって、何百というもの——葉の優美なシンメトリー、アメリカシラカバの樹皮のなめらかさ、マツの粗いゴツゴツした木肌——を見つけるというのに。

目の見えない私が、目の見える人たちに、助言を差し上げましょう。

明日、急に目が見えなくなってしまうかのように目をお使いなさい。明日、急に耳が聞こえなくなってしまうかのように、人の声が奏でる音楽を、鳥の歌を、オーケストラのとてつもなく素晴らしい旋律をお聴きなさい。明日はもう触覚がなくなってしまうかのように、一つ一つのものにお触りなさい。明日はもう嗅覚も味覚も失せてしまうかのように、花の匂いを嗅ぎ、おいしいものをひと口ひと口、賞味しなさい。

あらゆる感覚を最大限に活用しなさい。世界があなたに明かすあらゆる相《そう》貌《ぼう》、喜び、美に、栄光と恵みが宿っているのです。

人生は束《つか》の間《ま》

夢には二つの意味がある。

①睡眠中、当人の意識としては現実の生活であるかのような出来事の中に身を置いているが、目覚めてみるとそれが非現実のものであると気づく、一種の幻覚。

②将来実現したい願いや空想的な願望。

①の意味の夢を〈夢①〉、②の意味の夢を〈夢②〉とした上でこの物語の流れを確認してみよう。

若者は道士に〈夢②〉を語った。実際には「自分の情けない境遇」や「立身出世の望みがないこと」を嘆いたのだが、裏を返せば自分の〈夢②〉を語ったのである。道士から不思議な枕を渡された若者は眠りに入り、〈夢①〉を見る。若者は〈夢①〉の中で〈夢②〉

を叶えることができた。しばらくして若者は目を覚まし、「今のは夢（①）だったのですか」と言う。このとき彼は二つの意味で夢から覚めた。つまり、眠りから覚めてそれまで見ていた〈夢①〉が消えてしまい、それと同時に、心の迷い〈夢②〉がなくなって正気を取り戻すことができたのである。

さて、この物語の主題は何か。つまりどういうことを喩《たと》えているのだろうか。三つの解釈が可能であろう。

一つ目は「人の一生は長いように思えても実際は夢や幻を見ているような瞬時であること」、つまり人生は束の間だということ、二つ目は「人の世の栄枯盛衰の儚いありさま」、三つ目は「立身出世や名利を追い求めるような世俗的な欲望を抑えてこそ、穏やかな人生を送れること」である。

体験を自ら作り出す喜び

哲学者のロバート・ノージックが『アナーキー・国家・ユートピア』（木鐸社）の中で紹介している思考実験である。

彼は読者に「残りの人生をこういう装置につながれたまま過ごしたいですか？」と問いかける。つまり「こういう装置につながれたまま人生を過ごすことが、あなたにとって果たして幸せなことでしょうか？」と聞いているのだ。

ほとんどの人がこの問いに「いいえ！」と答えるのではないか。いくら望み通りの疑似体験ができて、実生活では決して得られないような大きな喜びが自由自在に得られようとも、こんな装置にずっとつながれていたいとは絶対に思わないだろう。

なぜかといえば、私たちは喜びをただ感じるだけでは満足できないからだ。私たちは、外から与えられた体験を楽しむだけではなく、その種の**体験を苦労しながらも自ら作り出し、それを味わいたいと思っている**からである。

№11

二倍の願い

道を挟んで二軒の肉屋が商売をしていた。あるとき、一軒の肉屋の主人に神様がこう告げた。

「お前の願いをなんなりと叶えてやろう」

肉屋が自分の願いを言おうとしたとき、神様がこう続けた。

「ちょっと待ちなさい。お前の願いはすぐに叶えてやるが、向かいの肉屋にはお前にやる二倍を授けてやることになっている。お前が一億円をくれと言うのならば、お前にすぐさま一億円をやる。ただ、同時に向かいの肉屋には二億円やることになる。よく考えてから、お前の願いを言いなさい」

肉屋は困った。しばらく考えてから神様に質問をした。

「それじゃあ、私が不幸を願えば、向かいは私の二倍だけ不幸になるのですか？」

「そうだ。その通りだ」

「わかりました。では、神様、私の片眼をつぶしてください」

自分と他人の幸不幸を切り離す

この後どうなったのだろうか。神様は、主人公である肉屋の主人の望み通りに彼の片眼をつぶし、向かいの肉屋の主人の両眼をつぶしたであろう。

客観的にみれば、二人とも不幸になった。しかし、主人公はそう思わなかった。自分も不幸になったが、向かいの肉屋の主人が自分よりももっと不幸になったのだから、自分は相対的に幸福になったと考えたのだ。馬鹿げた話である。

「隣の貧乏は鴨の味」「他人の不幸は蜜の味」ということわざが示すとおり、私たちは他人の不幸を喜ぶ傾向を持っている。なぜかと言えば、自分の幸福度合いを、他人の幸福度合いと比べて判断するからである。

「自分は決して幸せではない。しかし、あの人に比べれば自分はまだましだ。よって、自分はそこそこ幸せである」という思考回路で自分を慰めるのだ。

私たちは自分の様々な欲求が満たされること、つまり自分が幸せになることをめざして行動する。

ところで、私がどう行動するかは他ならぬ私が選択する。ということは、自分が幸せになれるかどうかの責任は自分自身にある——すべてではないが——ということになる。ある人が幸せになるかどうかの責任は、その人以外の人にはないということだ。

こういう考え方を頭に置きながらこの寓話を今一度読んでみると、どうすれば隣人が幸福になれるか、どうすれば隣人が不幸になるのか——そういうことを主人公である肉屋の主人がコントロールしようとしたから話がおかしくなるのである。この寓話から学ぶべき教訓は、**自分の幸不幸と、他人の幸不幸を切り離すことが肝要**ということである。

№12

わが家を広くする方法

たいへん貧乏な男がいた。彼はよれよれでつぎはぎだらけの服を引きずるようにして、ラビ（ユダヤ教の聖職者）の家に来てこう訴えた。

「ラビ様、私は狭くて汚いあばら屋に住んでいます。その小さな家に妻と四人の子どもがいます。ガキどもはいつもピーピー泣いてばかり。おまけに妻は悪妻です。いつもガミガミ、のべつまくなし、がなり立てています。ラビ様、私はどうすればいいでしょう」


ラビはあごひげをしごきながらこう言った。「おまえ、ヤギを飼っているか？」「はい、飼っています」「そのヤギを家の中に入れるのじゃ」

男は怪訝《けげん》そうな顔をしながら家に戻った。ラビ様の言うことなので仕方がない。自分にこう言い聞かせてその通りにした。案の定、家の中は大変なことになった。翌日、男は再びラビのところを訪ねた。

「ラビ様、あんな狭い家にヤギなんかを入れたから、ひどいことになりました」

「そうか、それは困ったのお。なんとかしないといかん。ところで、おまえ、ニワトリを飼っているか？」「ニワトリですか？　はい、飼っております」

「飼っているニワトリを全部おまえの家に入れるのじゃ」

男は怪訝《けげん》そうな顔をしながら家に戻った。ラビ様の言うことなので仕方がない。自分にこう言い聞かせてその通りにした。案の定、家の中は大変なことになった。翌日、男は再びラビのところを訪ねた。

「ラビ様、ひどいことになりました。ヤギとニワトリと、子どもの泣き声で気が狂いそうです。そこらじゅう、ヤギとニワトリのくそだらけで、寝るところもありません」

「そうか、それはたいへんな苦労だったのお。なんとかしないといかん。ところで、おまえ、牛は飼っとるか？」「牛……ですか？」「その牛を家の中に入れるのじゃ。おまえ、不服なようじゃな。このラビが信用できんのか」

「いえ、そういうわけでは……。わかりました」

男は怪訝そうな顔をしながら家に戻った。しかし、ラビ様の言うことなので仕方がない。その通りにした。家の中がどうなったかはもう言うまでもないだろう。翌日、男は再びラビのもとを訪ねた。

「ラビ様、私に恨みでもあるのですか。ひどいですよ。家の中は足の踏み場もない。子どもは牛の背中で寝ています。食い物はみんな畜生どもに食われてしまう。おまけに家の中はくそだらけ。あーー、このままじゃあ、もう死んでしまう」

「まったく気の毒な話だ。それじゃあ、今度は動物たちをもとの場所に戻すんじゃ」。男は家に戻って、その通りにした。翌日、男は再びラビのもとを訪ねた。

「ラビ様、ありがとうございました。私は今まで気がつきませんでした。私の家は広いんですね。それに、四人の子どもたちはいい子ばかり、妻だって優しくていい女です。私はなんて幸せな男なんでしょう」

幸福の基準値をどこに置くか

主人公は狭くて汚い家で、妻と四人の子どもと一緒に暮らす男である。今の暮らしに不満を募らせた男がラビの家を訪れて助言を求める。ラビは「ヤギ、ニワトリ、牛」を家の中に入れることを提案する。言うまでもなく、家の中は大変なことになる。足の踏み場もない状態で室内はくそだらけ、落ち着いて食事を取ることもままならない。食べ物は動物たちに奪い取られてしまう。困り果てた男は再びラビのもとを訪れ、窮状を訴える。するとラビは動物を家の外に出すように言う。言われたとおりにしてみて男はやっと気がつく。自分の家がけっこう広くて清潔なこと、妻は話の通じる人間であること、子どもたちは聞き分けのいい子であることに。

この話は幸せの基準値について考えるのにもってこいの話である。

生活自体はまったく変化していないのに、ある時は不幸のどん底にいるような気持ちになり、別のある時は幸福感に満たされているような気持ちになることがある。これはどういうことなのか。幸せの基準値をどこに置いて自分の現在地を見るのかによって、自分が今、幸福なのか不幸なのかが異なってくるということだ。

もう一つ、別の視点からこの話を考察してみよう。自分が今、幸福なのか不幸なのかはベクトル——方向と勢い——によって決まるという視点だ。

ここに〈8の男〉と〈4の男〉がいるとする。ただし、〈8の男〉は10から6に落ちつつある男であり、〈4の男〉は2から6に上りつつある男である。今の状況だけを見れば〈4の男〉よりも〈8の男〉のほうが幸福である。しかし、〈8の男〉は下降しているのに対して、〈4の男〉は上昇している。〈8の男〉よりも〈4の男〉のほうが方向という点で幸福度は高くなる。

また同じ〈4の男〉であっても、3から5に上昇しつつある〈4の男〉と、2から6に上昇しつつある〈4の男〉を比べたとき、後者のほうが勢いという点で幸福度は高い。

ジョナサン・ハイトは人間の根強い特性として「進歩の原理」と「適応の原理」を挙げ、この二つが幸福感や不幸感と大きく関係してくると述べている（『しあわせ仮説』新曜社）。彼の論述を参照しながら、詳しく説明しよう。

一つ目は「進歩の原理」。私たち人間は、現状に決して満足せず、「もっと幸福に、もっと幸福に」と常に進歩をめざす性向を持っているということである。

例を挙げよう。多くの人は一流の大学に合格すること、一流企業に入社すること、昇進を果たすこと、彼女（彼）と結婚すること、大きなプロジェクトを成功させることなど、自分なりの目標に向かって日々の生活を送っている。目標に向かって前進している最中には「その目標を達成しさえすれば、どんなに幸福だろうか」と思っている。

しかし、悲しいことに、**欲しいものを手に入れた喜びは長続きしない**。一日、一週間、一ヶ月くらいは幸福感に包まれるかもしれない。しかし、次第にその幸福感は薄まっていき「自分が苦労して手に入れたものはたったこれだけなのか」とふと思ったりする。「まあ、これはこれとして、次はどんな目標に向かって進もうか」と考えたりする。

二つ目は「適応の原理」。「人間はどんなことにも慣れられる存在だ」と言ったのは作家のドストエフスキーである（『死の家の記録』新潮文庫）。私たち人間は、どんな状態にも適応していく性向を持っているのである。

ジョナサン・ハイトは二つの極端な例——最上の未来として「二〇〇〇万ドルの宝くじに当たること」、最悪の未来として「事故で首の骨を折ってしまい、首から下が麻痺してしまうこと」――を示して、幸福と不幸について考察している（前掲書）。

もちろん、首の骨を折ってしまうよりも、宝くじに当たるほうが良いには決まっている。半身不随になるという事態は計り知れないほどのダメージである。逆に宝くじに当たれば生活は一変する。何よりお金の心配から解放される。便利な場所に位置する、広くてきれいな住居に住み替えられる。お金のために嫌々する仕事から解放されてもっとやりがいのある仕事に就けるかもしれない。

半身不随になった人はずっと不幸のどん底でもがき苦しみ、宝くじに当たった人はずっと幸福の絶頂の中で楽しく生活を送るように思える。しかし、ジョナサン・ハイトは必ずしもそうならないと言う。なぜならば、どちらもその状況に適応していくからだ。

宝くじの当選者は以前の生活と今の生活の対比をしばらくの間は楽しむことができる。しかし、その対比もだんだん曖昧《あいまい》なものになっていき、喜びは少しずつ薄まっていく。当選者は、高い水準の生活に慣れ、それが新たな基準値になってしまう。そういう幸運が再び訪れることはないので、生活がそれ以上良くなることはない。ほとんどの場合、その人の状況はだんだんと悪くなっていく。

それとは反対に、半身不随になった人は当初、甚大な幸福の損失を被る。「自分の人生は終わった」と嘆き、自分がかつて望んでいたことのすべてを諦めなければならないことに傷つく。しかし、彼は数ヶ月後にはその状況に適応し始める。訓練によって自分の能力を少しずつ向上させていけることに気づき、小さな目標に向かって動き出すだろう。彼の状況は良くなっていく以外にはない。その一歩一歩が彼に喜びをもたらすだろう。

まとめよう。「進歩の原理」と「適応の原理」ゆえに私たちは、客観的には幸福であるのに主観的には不幸であるように感じることもあるし、逆に客観的には不幸なのに主観的には幸福であるように感じることもある。

第3章

行動と思考の選択

No.13

ビュリダンのロバ

お腹をすかせたロバが分かれ道に立っていた。
ロバは、左の道の先と右の道の先に干し草を見つけた。
ほぼ同じ距離、ほぼ同じ量の干し草が置かれている。どちらの干し草も美味しそうだ。
「どちらの干し草を食べるのがいいだろうか?」
ロバは迷った。左に二、三歩行くと、右のほうが良さそうに思えてくる。
右に二、三歩行くと、左のほうが良さそうに思えてくる。
そんなことを続けているうちに、ロバはとうとう餓死してしまった。

選択できずにその場を動かない危険性

フランス中世の哲学者であるジャン・ビュリダンが作った話とされている。ただし、出典は明らかではない。さて、この寓話をどう読むか。二つの読み方がありそうだ。

一つ目の読み方。ロバには二つの選択肢があった。第一は左側の道を進んで干し草を食べること、第二は右側の道を進んで干し草を食べることであった。ロバはどちらか一つを選べず、その場に立ち尽くして餓死した。

二つ目の読み方。ロバには三つの選択肢があった。第一と第二は先に述べたとおり、第三はその場にステイすることであった。ロバは第三の選択肢を選び、餓死してしまった。

どちらの読み方をするにせよ、客観的にみれば「その場を動かないという選択」をするのはどう考えても不利である。その場に居続けたのではお腹を満たすことができない。どうしてロバはその場を動かなかったのだろうか。

それはロバの前に「選択の壁」が立ち塞《ふさ》がったからだ。では、ロバはその壁をなぜ突き破れなかったか。二つの理由が考えられる。

一つ目は左右どちらかを選ぶための明確な理由が見つからなかったことだ。干し草までの距離も、その量と美味しさも同じように見えたのだろう。

二つ目は「選択を誤ってしまうかもしれない」という恐れが生じてきたことである。どちらか一方を選んで行動に移してみたものの、「こっちよりもあっちのほうが良かったのでは？」という後悔の念が沸き起こることを恐れたのだ。

「選択の壁」を前にしたロバは動くことができず、その場に立ち尽くすしかなかった。未来を予見する神の視点――話を最後まで読んだ読者の視点――からすれば、その場を動かずに餓死するくらいなら、どちらかの道を選んで干し草を食べたほうが良かったと思うだろう。しかし、ロバだって空腹の果てに餓死するとまでは思っていなかった。

この寓話は、何かを選択することの難しさと同時に、何も選択できずにその場で立ち尽くしてしまう危険性を教えてくれる。人は人生の節目節目で大きな選択を迫られる。そういう場合、**その場を動かないほうが良いというケースはあまり多くはない。**

№14

成功の秘訣

レポーターが銀行の頭取に尋ねた。

「あなたの成功の秘訣はなんですか？」

「二語（Two words）だ！」

「それはどのようなことですか？」

「正しい決断（Right decisions）！」

「どうやって正しい決断を下すんですか？」

「経験だ！」

「二語（Two words）だ！」

「どうやって経験を積むんですか？」

「なんでしょう？」

「間違った決断（Wrong decisions）！」

正しい決断と間違った決断

「できるだけ正しい決断をしたい」と願うのは普通の感情だ。しかし、いきなり正しい決断を下すのはたいへん難しいことである。「間違った決断を下す」という経験を積んだ上で、ようやく「正しい決断を下す」レベルに至ることができる。別の言い方をすると、失敗という経験を積んだ上でなければ成功に至ることはできないということになる。

ここから得られるのは、失敗を恐れるなという「ありふれた教訓」である。失敗は自己を改善していくためには避けられないステップである。スポーツで上達しようと思えば失敗は欠かせない。積極的なプレーをする人（自分の殻を破ろうとする人）が失敗する人であり、逆に積極的なプレーをしない人（自分の殻を破ろうとしない人）は失敗をしない人である。どちらが上達するかは明らかだ。

不成功に終わった試みや努力を称えよう。スポーツに限らず、仕事も同じである。高度で複雑なスキルは、失敗を通じた試行錯誤を経てやっと身につけられるものなのだ。

№15

大嫌いなサンドイッチ

ここは中西部のある建設現場。昼食の時間を告げる笛が鳴ると、労働者たちが一斉に弁当を食べ始めた。

サムは弁当の入った袋を開けるといつものように愚痴をこぼしだした。

「ちくしょう！　またピーナッツバターとジャムのサンドイッチかよ。俺はピーナッツバターとジャムが大嫌いなんだ！」

サムは来る日も来る日も、ピーナッツバターとジャムのサンドイッチに不平をこぼしていた。

何週間か過ぎた頃、さすがの同僚たちもサムのいつもの愚痴に我慢ができなくなった。とうとう、一人の同僚がこう言った。

「いい加減にしろよ、サム。そんなにピーナッツバターとジャムが嫌いなら、奥さんに言って別のものを作ってもらえばいいだろうが」

「奥さんだと？」。サムは答えた。「俺は独り者だぜ。弁当は自分で作ってらあ」

「どう行動するか」を選ぶのは自分

私たちも知らず知らずのうちに、自分の嫌いな材料でサンドイッチを作り、不平不満や愚痴をこぼしながらそれを食べ続けるようなことをしていないだろうか。自分の現実は自分で作っている——もちろんすべてではないが——のであり、自分が望むような現実を自分は作れる可能性を常に持っていることを忘れてはいけない。

この寓話は私たちに自分の人生を改善していくためのヒントを与えてくれる。もしも、今の自分の人生に不平不満をこぼしているのなら、**他にどういう生き方や働き方があるのかを知ること、それぞれの生き方や働き方を実現するのに必要なルートを調べること、自分にもっとも適したルートを選ぶこと、億劫がらずに勇気を持って一歩踏み出すこと**である。

№16

無神論者と信仰心の厚い男

アラスカの雪原のバーで二人の男が酒を飲んでいた。一人は信仰心の厚い男、もう一人は無神論者の男だった。

彼らは神の存在について熱い議論を繰り広げていた。

無神論者の男はこう言った。「あのな、理由もなく神を信じないわけではないからな。お祈りやらいろいろやったさ。先月だって、ひどい吹雪に巻きこまれて遭難したんだよ。気温はマイナス四五度、吹雪で何も見えない。もう駄目だと思って一か八かで神様にお祈りしたんだよ。助けてください。さもないと死んでしまいますってさ」

これを聞いていた信仰心の厚い男は、不思議そうな顔をしながら、こう言った。

「こうして君は今、生きている。だったら、もう神を信じるしかないだろ」

すると無神論者の男はあきれ顔で答えた。

「神様が救ってくれたわけじゃないよ。たまたま二人のエスキモーが通りかかって、道を教えてくれただけだよ」

「どう考えるか」を選ぶのは自分

米国の大学には、卒業式に学外の有名人を招いて名誉博士号を授与し、その返礼としてスピーチしてもらうという「コメンスメント・スピーチ（祝辞）」の習慣がある。ここで紹介したのは、二〇〇五年にデヴィッド・フォスター・ウォレスという作家がケニオン大学の卒業式で行ったスピーチの中で披露した寓話である。

ウォレスはこの寓話の意味について順を追って説明していく。最初にウォレスは「この二人はまったく異なった信念を持っており、それゆえに、一つの出来事が二人の人間にとってまったく異なる意味を持っている」という解釈を示す。もちろんこの解釈は間違っていない。しかし、彼は二つの点でこの解釈の不十分さを指摘する。

一つ目は「二人の異なる信念がどこから来ているのか」という考察が欠如していることだ。この考察が欠けていると、二人の違いは、まるで生物学的な体の大きさ、生まれ育った文化から自然に形成される言語感覚のように、あらかじめ定まっているかのように思えてしまう。そうなると、私たちは意図的に自分の信念を選択できないという勘違いに陥ってしまう。

二つ目の不十分さは、無神論者の傲慢《ごうまん》さ、つまり思い上がった態度を見逃していることだ。彼は「エスキモーが通りかかったこと」と「神様に祈ったこと」が一〇〇%無関係だと信じている。自分の力を超越した大きな力がはたらいて自分は生かされたとは考えなかった。神様の存在を信じるかどうかは別にしても、命を助けてくれたエスキモーは〝神様〟のような人だ。

ここで誤解してほしくないのは、ウォレスが「無神論者＝傲慢な人、信仰心の厚い男＝傲慢ではない人」という図式を信じていて、それを示そうとしているわけではないということだ。信仰心の厚い人にも傲慢な人はいるし、むしろそっちのほうが手に負えないと感じている人も多いことや、どちらの陣営にも「盲目的な確信と狭い了見に起因する、獄中にいることすら気がつかない囚人」がいることを彼は指摘している。

以上のように先の教訓の不十分さ（浅さ）を指摘した上で、ウォレスはこの寓話のポイントを「もう少し謙虚になること、自分の存在そのもの、自分の確信していることを見つめ直すこと」だと説明する。そして「今までぼくが根拠もなく自動的に正しいと信じてきたことは、大方間違っていました。何度もそれで痛い思いをしました」と自分の経験を語る。

最後にウォレスが卒業生に伝えたかったことのポイントを——私なりの解釈と補足を交えながら——まとめておこう。

一般的に大学教育の目的は知識を蓄えることではなくて、「自分の頭で考えられるようになること」だと言われる。ここで求められるのは、「自分の頭で考えられるようになること」の真の意味である。それは、自分で考えるべき対象を選択できるようになること、物事をどのように見るか、物事をどのように考えるかを自分で選択できるようになること、何に意味があって何に意味がないかを意識的に決められるようになることだろう。

加えて、何を信じて生きていくかを自分で決められるようになること——それが大事なことである。「神なんて信じていない」と言う人だって、何も信じていないわけではなくて、多かれ少なかれみんな何かを信じて生きている。お金、物の豊かさ、自分の肉体美、性的魅力、健康、権力……厄介なのは、何を信じて生きるかを私たちが無意識に選んでいることだ。

私たちは先天的に自己中心的なデフォルト設定、すなわち初期設定に囚われていることに気づかない。水の外に出たことがない深海魚が、水という存在の意味を知らないように。だから、**常に自分が確信していることは自分の思い込みかもしれないという疑いの目を持たねばならない**。しかし、それは簡単なことではない。強い意志と努力が必要だ。意識的に社会人としての生活を送ることを期待したい。教育は本日をもって終わるということはないのだ。

「教育は今、この場所から始まる」――以上がウォレスのメッセージである。

№17

ハワード・ライファの逸話

コロンビア大学のハワード・ライファ教授は意思決定分析の草分け的研究者として知られていた。

そんな彼がある時、ハーバード大学の教授として招聘《しょうへい》を受けた。この招聘に応じてハーバード大学に移れば、彼の名声がさらに高まることは間違いなかった。

しかし、ライファを手放したくなかったコロンビア大学は、給与を三倍にするから移籍を思いとどまるようにはたらきかけた。

二つの申し出に板挟みになったライファは、コロンビア大学の学部長を務める友人に相談した。学部長はライファからこういう相談を受けたことをひどく面白がった。そして彼に尋ねた。

「君がハーバード大学から招聘されるきっかけとなった意思決定分析のアプローチをどうして使わないいんだ？　いくつかの構成要素に分け、それらの関係を図式化し、そろばんをはじいて最善の選択肢を導き出せばいいじゃないか！」

「わかってないいな」とライファは答えた。

「これは重大な決定なんだぜ！」

自分に関する重大な意思決定は簡単ではない

この逸話は『選択の科学』（文藝春秋）から引いた。著者のシーナ・アイエンガーはこの話を披露した後、次のように続けている。

この話は……本質的な真理を言い当てている。自分の幸せは、いつでも重大きわまりない問題なのだ。他人には、意思決定の方法や戦略を助言するくせに、いざ自分の長い目で見た幸せがかかるとなると、それを頼りにしていいものかどうかわからなくなる。型にはまった方法では、一人ひとりの幸福の特異性を、本当の意味で考慮に入れることはできないような気がする。

ハワード・ライファ教授は米国における意思決定分析の草分け的研究者である。当然のことながら、意思決定の方法や戦略を大学の講義で教えること、会社や個人に専門家として助言することは日常的な出来事であったろう。しかし、自分に関する重大な意思決定についてはそれが役には立たなかったという笑い話である。

一般的に望ましい意思決定の型として「計画型スタイル」――①決定事項の明確化→②情報収集→③選択肢の明確化→④根拠の評価→⑤選択肢の中から最終選択→⑥行動――がよく知られている。

たとえば、懇親会の店を決める（①）ケースにこのスタイルを適用してみよう。まずは、友人や知人におすすめの店を聞く、インターネットで良さそうな店を探す（②）、いくつかの候補先をリストアップする（③）、値段、味、雰囲気、便利さの視点から比較・検討する（④）、最終的に一つの店に決定する（⑤）――という流れになる。

このような小事に関する意思決定についてはこれで十分だろう。しかし、大事（重要な事柄）に関する意思決定――結婚相手を決める、就職先を決める、留学するかどうかを決めるなど――においては、「計画型スタイル」といえども限界を有している。

すべての情報を過不足なく集めることは不可能だからである。潜在的な情報にはアクセスできないし、過去や現在の情報はともかくとして未来についての情報は当てにはならない。また、理性と感情が一致するとは限らないからである。

第4章

夢と希望と勇気

№18

田舎道を歩く男

一人の男が田舎道を歩いていた。

少し離れた場所の牧草地で農夫が作業をしているのを見つけ、次の町までどれくらいかかるかを大声で尋ねた。

農夫は返事をしなかった。

男は怪訝《けげん》そうな顔をして、再び歩きはじめた。

彼が少し歩いたところで「三〇分くらいだ！」という農夫の声が聞こえてきた。

男は振り返って農夫に聞いた。

「三〇分くらい？　さっき尋ねたときに、どうして答えてくれなかったんだい？」

農夫は答えた。

「だって、おまえさんが、どんなスピードで歩くかわからないだろう」

能力は仕事の後に発見される

実際に歩いているところを見せてもらわないと「あなたがどれくらいのスピードで歩けるか」なんて私にわかるはずはないよ、という話である。

この話は「自分はどういう能力に長けているのか」を探っていくときのヒントになる。人間の能力は、本人が主観的に「私はこうありたい」と願うことや、「私はこれができるはずだ」と信じることによってではなく、いかなる客観的な成果をこの世に生みだしたかによって事後に決定される。

ここには二つの意味が含まれている。一つ目は、能力は仕事の「前」にあるのではなく、「後」に発見されること。ある仕事が「できた」という事実が、自分にはその仕事を行う能力が備わっていることを社会に示すのである。二つ目は、能力があるかどうかは本人が判断するのではなく、周りの人間が判断すること。たいていの場合、外部の能力評価のほうが本人の能力評価よりも客観性が高いからである。

№19

夜《や》盗《とう》の術

ある夜盗（夜に盗みをはたらく者）の息子が、自分の父が年老いたのを見て思った。「親父が商売をやれぬとすれば、この己よりほかに家の稼ぎ手はいないことになる。己が商売を覚えねばなるまい」

彼はこの考えを父親にひそかにもらし、父親もこれを承知した。

ある夜、父は倅《せがれ》を伴い、ある豪家に至り、塀を破り、屋内に入り、大きな長持《ながもち》（衣類や寝具を収納する長方形の木箱）の一つを開き、息子に「この中に入って衣服を取り出せ」と命じた。息子が中に入るやいなや、父はその蓋をおろして鍵を固くかけた。

そして、父は中庭に飛び出し、「泥棒だ」と大声で叫び、戸を叩いて家中の者を起こした上で、さて自分は先の塀の穴から悠々と逃げ去ってしまった。

家人は騒ぎ立てて灯をつけたが、盗人はすでに逃げたことがわかった。その間に長持の中に固く閉じ込められた倅は、父親の無情を恨んだ。彼はあれこれ悩み苦しんだあげく、不意に名案が浮かんだ。倅がネズミが物をかじるような音を立てると、家人は下女に「灯をとって長持を調べよ」と命じた。

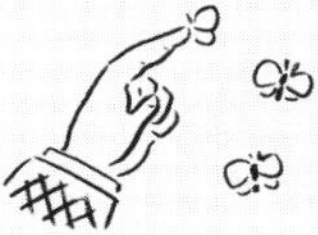

蓋を開けるやいなや、そこに閉じ込められていた倅は飛び出した。灯を吹き消し、下女を突き飛ばした。そして一目散に逃げ出した。

人々は彼を追いかけた。彼は路傍に井戸を見つけたので、大石を抱き上げてこれをその水中に投じた。すると、暗い井戸の中に盗人が入水したのだと思って、追手はことごとく井戸の周囲に集まった。そのうちに彼は無事、自分の家に戻った。

倅は危機一髪のところだったと言って、父親の非道をとがめた。父親は言った。

「まァ、憤るナ。どうやって逃げてきたかちょっと話してみろ」

そして倅がその冒険の一部始終を語り終わった時、父親は言った。

「それだ。お前は夜盗術の極意を覚え込んだ」

「言葉では語り得ない知恵」がある

これは、世界的な仏教哲学者である鈴木大拙《だいせつ》が『禅と日本文化』（岩波新書）の中で紹介している小話である。

大拙は何を言わんとしてこの小話を紹介したのか。これが、禅の精神や禅の修行を理解する上で大きな助けになると考えたからである。大拙は、体系的な理論を学んだところで皮相的なところにとどまり、核心部分に到達することは難しいと考え、身をもって体験することの重要性を力説した。

禅の教義を端的に表す禅語として「不立文字」と「教外別伝」という言葉がある（『禅語入門』久須本文雄著、大法輪閣）。

「不立文字」とは文章や活字を使わないこと、「教外別伝」とは教本からではなく師から弟子へ実践と体験を通して伝えていくことである。禅の真理を会得するには、当然のことながら言葉は必要だけれども、それだけに頼っていてはいけない。言葉以外の別の方法——たとえば、師の立ち居振る舞いや行動を見て学ぶこと、自分自身の坐禅や写経などの体験から学ぶこと——がなければ、真理に到達できないということである。

ここまで述べてきたことをより深く理解するには、言語知と暗黙知の概念を知るのが有用である。言語知とは言語化できる知、暗黙知とは言語化できない知を意味する。暗黙知とは、かつて科学哲学者のマイケル・ポランニーが『暗黙知の次元』(ちくま学芸文庫)という著書の中で用いた概念である。彼は著書の中で「我々は、語ることができるより、多くのことを知ることができる」と述べている。この言葉を裏返して理解するならば「我々は、知っていることのすべてを言葉にすることはできない」、すなわち、我々の中には「言葉では語り得ない知恵」とでも呼ぶべきものがあるということである。

暗黙知について説明を続けよう。たとえば、誰かに自転車の乗り方を教えるとしよう。どうやって体のバランスをとっているのか、右足と左足はどういう動きでペダルをこいでいるのか、どれくらいの力加減でブレーキをかけるのか——そういったことを言語化して教えるのは難しい。難しいというよりも、不可能であり、どれだけ言葉を尽くしてもほとんど役に立たない。「『習うより慣れろ』だから、まずは乗ってみな」と言うのが正しい。自転車に乗れる人はその乗り方についての知識を持っているが、その知識のほとんどは「言葉では語り得ない知恵」（暗黙知）なのである。

自転車の乗り方に限らず、ボールの投げ方や野球のバッティングフォーム、テニスのサーブの打ち方、スキーやスノーボードの滑り方も同じである。

スポーツの世界で往年の名選手が引退してコーチになったとき、自分の卓越した技術を選手に伝授しようとしても、なかなか上手くいかないことが多い。技術のコツというものは、そのすべてが言葉で表現できるわけではないからだ。その言葉で表現しづらいところを習得できるかどうかで抜きん出る選手になれるかが決まる。

言語化できないコツの中身とはどういうものだろうか。力加減、距離感、各部位の連動性、状況に応じた臨機応変さなどがそれに該当するだろう。多くの人は「うすうすは知っているけど、言葉にはしづらいこと」が暗黙知だと考える。しかし、「体が知っているのに頭が知らないこと」もあるということを忘れてはいけない。

スポーツを例に述べてきた「経験による学び」の重要性に関しては、伝統芸能や工芸の技能、将棋やポーカーなどの知的ゲーム、教師の教えるスキル、セールスパーソンの能力、研究者の技能などにまで拡張できるだろう。

人は生涯にわたって発達を続ける。発達に欠かせないのが学ぶことである。私たちは何かを学ぶとき、教科書やマニュアルなどの文字で書かれたものに頼ることになる。しかし、それだけでは不十分であり、言語知に加えて暗黙知をどう獲得していくかを意識しなければいけない。

暗黙知は、個人の経験を通して獲得されることが重要である。ロールモデルの行動をよく観察する、自らの体験から自らが発見する、ということだ。そのためにはたくさんの時間が必要であり、その過程で生じる試練や挫折で一皮むけることが多い。

№20

山月記《さんげつき》

中国の唐の時代に李徴《りちょう》という男がいた。李徴は豊かな知識と優れた才能を持っており、若くして難しい試験に合格して役人になった。しかし彼は、遠方の町で安全を守る仕事に面白さを感じず、自分の能力にふさわしくない、つまらない仕事だという不満を抑えきれず、すぐに役人を辞めてしまった。

李徴は故郷に帰って他人と交わりを断ち、ひたすら詩を作って暮らした。だが、簡単には有名になれず、生活は日を追って苦しくなっていった。

数年の後、李徴は貧乏に耐えられなくなった。妻子を養うため、ついに主義を曲げて再び都にのぼり、地方の役人に任命してもらった。これは一方で、詩人として生きていくことに半ば絶望したためでもあった。

彼は再び就いた役人の仕事に常に不満を抱え、協調性のない性格はいよいよ抑えられなくなっていった。一年の後、仕事で旅に出て、如水《じょすい》という川のほとりに宿をとった時、李徴はついに気がふれ、夜更けすぎに何かを叫びながら闇の中に駆けていった。そのまま、彼は戻ってこなかった。

翌年、高位の役人の袁傪《えんさん》という者が、皇帝の命令で南の辺境に赴く途中、

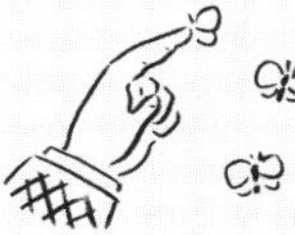

如水の流れる近くの町に泊まった。次の朝、まだ暗いうちに林の中の草地を通っている時、一匹の虎が草むらの中から躍り出てきた。その虎はあわや袁傪に襲いかかるかに見えたが、すぐに身をひるがえして草むらに隠れた。草むらの中から「危ないところだった」とつぶやくのが聞こえた。袁傪はその声に聞き覚えがあった。草むらに戻っていったのは友人の李徴だった。

袁傪が「どうして今の身の上になるに至ったか」と聞いたところ、李徴は自分が虎になった夜のことを一通り話した。そして、今のところは一日の中に数時間は人間の心が返ってくるが、その時間も日が経つに従って次第に短くなっており、すっかり人間でなくなってしまう前に、自分の作った詩を記録していただきたい、と言った。

袁傪は部下に命じ、草むらの中の声に従って長短合わせて三〇篇の詩を書きとらせた。古い詩を吐き終わった李徴は、自らを嘲《あざけ》るように、岩穴の中に横たわって見る夢について話した。そして、今の思いを即席の詩に託して述べた。袁傪はまた、部下の役人に命じてこれも書きとらせた。

その後、李徴はゆっくり話し始めた。

人間であった時、おれは努めて人との交わりを避けた。人々はおれをわがままだ、尊大だと言った。実は、それがほとんど羞恥心、つまり、恥じ入る気持ちに近いものであることを、人々は知らなかった。もちろん、かつて故郷で天才と言われた自分に、自分を誇りに思う気持ちがなかったとは言わない。しかし、それは臆病な自尊心とも言うべきものであった。

おれは詩によって有名になろうと思いながら、進んで師に習ったり、求めて詩友と交わって切磋琢磨に努めたりすることをしなかった。かといって、また、おれは俗物の仲間に入るのも許せなかった。ともに、我が臆病な自尊心と、尊大な羞恥心のせいである。

己が磨けば光る宝玉ではないことを恐れたために、あえて苦しんで磨こうともせず、また、己が宝玉であることを半ば信じていたために、平凡な石ころの中に交ざることもできなかった。おれは次第に世と離れ、人と遠ざかり、恥ずかしさと怒りで悶々として、ますます己の内なる臆病な自尊心を飼い太らせる結果になってしまった。

人間は誰でも猛獣使いであり、その猛獣にあたるのが、各人の性質と心情だという。おれの場合、この尊大な羞恥心が猛獣だった。これがおれを損ない、妻子を苦しめ、友人を傷つけ、はては、おれの外形をかくのごとく、内心にふさわしいものに変えてしまったのだ。

今思えば、まったく、おれはおれの持っていたわずかばかりの才能を無駄遣いしてしまったわけだ。人生は何事もなさぬにはあまりに長いが、何事かをなすにはあまりに短い、などと口先ばかりで言葉をもてあそびながら、事実は、才能の不足がばれるかもしれないとの卑怯な恐れと、苦労を嫌がる怠け心とがおれのすべてだったのだ。おれよりはるかに乏しい才能でありながら、それを一生懸命に磨いて、立派な詩人となった者がいくらでもいるのだ。

李徴は袁傪に別れを告げる時、おれはすでに死んだと妻子に告げてくれるよう頼んだ。ただ、決して今日のことだけは明かさないでほしいと付け加えた。袁傪は草むらに向かって別れの言葉を述べ、馬に上って、涙ながらに出発した。

「臆病な自尊心」と「尊大な羞恥心」

中島敦による『山月記』の要約である。

『山月記』のキーワードは何かと問われれば、間違いなく「臆病な自尊心」と「尊大な羞恥心」であろう。『新明解国語事典　第六版』（三省堂）と『表現読解国語事典』（ベネッセ）を参考にしながら、言葉の意味内容とそのニュアンスを整理しておこう。

自尊心とは「①自分が相当な存在、普通ではないと思いこむ様子（＝うぬぼれの気持ち）。②自分という存在に誇りを持つ様子（＝プライド）」という二つの意味を持っている。うぬぼれはマイナスの意味合い、プライドはプラスの意味合いを持っている。

プライドを持って生きる態度は必要なことだが、うぬぼれは人間の成長を妨げるので注意が必要だ。なぜか。人間は社会的動物であるゆえに、本人の能力に関する自己評価と他者評価――無責任な大人ではなく信頼のおける大人による――をすり合わせていく作業が必須である。他者評価をないがしろにした自己評価はほとんど意味がない。他者評価に比べて自己評価が高すぎる人は過剰な自尊心を持ってしまい、それは生きづらさと直結する。めざすべきは他者評価と一致した自己評価を持つことである。

臆病とは「気が小さかったり、心配性であったりするために必要以上に用心深くなり、十分に事態に対処できない様子」という意味だ。その反対語は勇気であり、それは無謀と臆病の間に位置する。勇気を持って事に当たる態度はほとんどの場合に正しい。

尊大とは「そうするほどの地位や能力もないのに、必要以上に自己を顕示し、他を見下すような言葉遣いをすること」という意味である。尊大と傲慢《ごうまん》は意味が近く、それらの反対語は謙虚という言葉になる。謙虚な態度は素直な態度と言い換えてもいい。

羞恥心とは「①世間慣れがしていなかったり、劣等感を強く持ったり、具合の悪いことがあったりして、人前に出ること、人前で何かをすることがためらわれる気持ち。②自分の能力・欠点・過失などを自覚して体裁悪く感じる気持ち」という意味である。人間である限り、誰でも幾ばくかの羞恥心は有している。しかし、過剰な羞恥心を抱えてしまうと、自分の殻に閉じこもったり、自分の力を発揮できなかったりする事態に陥ってしまう。

言葉の意味内容とそのニュアンスを整理したところで、主人公の歩みとその心理を分析してみよう。

主人公は詩人になりたかった。そうであるならば、進んで師について修行したり、求めて詩友と交わって切磋琢磨に努めたりする必要があった。しかし、主人公はそういう行動を起こさなかった。臆病だったのだ。師や詩友の前で自分の作品を披露することは、皆に自分の能力をさらけ出すことである。師から足りない点を指摘されたり、仲間の作った詩と比較されたりすることもあるだろう。こういう過程で主人公は人一倍の恥ずかしさを感じてしまう。それは、心の中に尊大さや傲慢さを有していたからだ。そして何よりも、自分の過剰な自尊心が傷つくこと、自分の鼻がへし折られることを極度に恐れたのだ。

臆病であることに「苦労を嫌がる怠け心」が重なった。全力で努力して詩人になれなかったら、それは自分には才能がなかったことが明らかになり、またもや自尊心が大きく傷ついてしまう。それが恐ろしくて努力できなかった。そうであるならば、最初から努力をしないほうがいい。なぜならば、才能はあったのだが、努力をしなかったために実を結ばなかっただけだと言い訳できるからだ。

「やりたいことがある」——しかし、それに向かって行動を起こさない。こういうとき、その理由を、自分の能力や性格といった内面的性質ではなく、その時々の状況や環境といった外的なものに帰結させると、自分の自尊心が傷つくことはない。こういう心理は、心理学の専門用語で「セルフ・ハンディキャッピング」と呼ばれる。

たとえば、試験の本番が迫っているとしよう。今から必死で勉強すれば、まずまずの成績が残せるはずだ。しかし、あえて友達と遊びに出かけたり、SNSで時間をつぶしたりして、試験勉強ができない状況を自分で作ってしまう。このような行為はセルフ・ハンディキャッピング理論で説明がつく。

試験の結果が悪かったとしても「勉強しなかったからだ」と言い訳すればいい。「時間さえあって、本気を出せば、自分は良い結果を出せる」と思い込む余地を残しておける。しかも、試験の結果がまずまずだったら「勉強していないのに、これだけの点数がとれるなんて自分はすごい！」と悦に入ることができる。

つまり、セルフ・ハンディキャッピングさえしておけば、結果が良くても悪くても、自分の自尊心を守ることができるのだ。しかし、こういう行動を繰り返していると、勉強をしないのだから自分の能力は向上していかないし、自分の能力がどの程度かを知る機会も得られないので、まったく生産的ではない。なぜならば、失敗や成功の原因が常に自分の能力や性格にあるのではなくて、外部環境にあるとすり替える行為だからである。

夢や目標を達成できるかどうか（結果）以前に、夢や目標に向かって一歩を踏み出してその歩みを進められるかどうか（プロセス）を左右するものは何か。**過剰な自尊心を抱え込まないこと、臆病さではなく勇気を持つこと、尊大さや傲慢さではなく謙虚さを持つこと、怠け心を抑えて継続的な努力をすること**――そういうことも大事な要素ではないか。

№21

一切れのパン

第二次大戦中、わたしの祖国ルーマニアは、ドイツと同盟を結んでいた。隣国のハンガリーもドイツの同盟国で、わたしはハンガリーの首都ブダペストの水運会社に勤め、ドナウ川を行き来するはしけ（大型船と陸との間を往復して貨物や乗客を運ぶ小舟）で働いていた。

ある日、わたしは水上警察の手で拘引されてしまう。そして、ルーマニアが友邦であるドイツと絶縁してソ連側と手を結んだために、敵国人として逮捕されたという事実を知る。わたしは多くの仲間たちと一緒に、行き先も知らされないまま、息苦しい貨車に押し込まれた。

駅を出発した貨車の中で、わたしは頭を剃った背の低い老人と親しくなった。ユダヤ人のラビ（ユダヤ教の聖職者）だった。彼は、ユダヤ人としてではなくルーマニア人として逮捕されたことをとても喜んでいた。

わたしたちを乗せた貨車が夜間に連合軍の空襲を受けて立ち往生した。この時、わたしを含む何人かが脱走を試みる。一緒に行きたがったラビにわたしは貨車に残ることを勧めた。今度捕まればユダヤ人であることがばれてもっと酷い目に遭うかもしれないこと、ルーマニア人として捕虜になっているほうが安全であることがその理由である。ラビはわたしの言うとおりだと答

え、貨車に残った。
別れ際にラビは「あなたの忠告に対してお礼がしたい」と言いながら、小さなハンカチの包みを差し出した。「この中にパンが一切れ入っています。何かのお役に立つでしょう」。ラビはさらに付け加えた。「ただし、そのパンはすぐに食べず、できるだけ長く保存するようになさい。パンを一切れ持っていると思うと、ずっと我慢強くなるもんです」
暗闇に乗じて護送列車を抜け出した捕虜たちは、集団での移動は危険だと考えて、それぞれが別々に逃げることになった。わたし以外の仲間は次々にナチスに見つかって殺されてしまった。危機一髪のところを何とかくぐりぬけながら、わたしは逃げ続ける。空腹のため途中で何度もラビからもらったパンを食べようと思った。しかし、食べてしまえば何もなくなってしまうので空腹を必死にこらえて故郷をめざした。そして、とうとうわが家にたどり着いた。愛する妻と再会できたわたしは、これまでの逃走の一部始終を話して聞かせた。そして、「自分を支えてくれたのはこの一切れのパンだった」と言って、ハンカチの包みをほどいた。その途端、中から転げ落ちたのは、パンではなくて一片の木切れだった。

希望は前進する力である

主人公がもしも途中で空腹に堪えかね、ハンカチを開いていたらどうなっただろうか。彼はその時点で、ハンカチの中身がパンではなく木切れであることを知り、絶望のどん底に落ちてしまったことだろう。その結果、逃げ続ける勇気を失って野垂れ死にしたかもしれないし、自暴自棄の行動をとってナチスに殺されてしまったかもしれない。

人間という生き物は、希望さえあれば――それがどんなに小さな希望であっても、この話のように偽りの希望であっても――自分が直面している困難に立ち向かっていける。この話は希望を持つことがどれほど大事かを教えてくれる。希望は勇気の源泉であり、前進する力を与えてくれる。希望さえあれば、苦痛や苦悩にだって耐えられるのだ。

希望の反対語は絶望である。言うまでもなく、絶望は否定的な感情であり、希望は肯定的な感情だ。絶望は力を奪い、希望は力を与えてくれる。ところが、希望という感情は他の肯定的な感情とは大きく違う点がある。それは、多くの肯定的な感情は自分の状況が良いときに起きてくるのに対して、希望は自分の状況が良くないときに起きてくるという点である。

良くない状況の中で希望を抱くということは、これ以上、ものごとが悪くなることを恐れながらも、現状をより良い状態へ変化させていこうと決意することだ。かつて米国大統領選挙でバラク・オバマが国民に対して「希望（ホープ）」と「変化（チェンジ）」をワンセットで訴えたことが思い出される。

希望を持つことの大前提には「ものごとは変えることができる。そして、良い方向に変わっていく可能性が存在する」という信念が隠れている。別の言い方をすると、希望を持つことは自動的に起きてくるのではなく、希望を持つことを「私が選ぶ」ということである。

さらに、**希望を持つということは、それを実現するための実際の行動――小さな一歩でもいいから――をも含んでいる**ことに注意しよう。希望とは行動によって何かを実現しようとする気持ちである。実際の行動も含むという点で、態度だけで行動しない「楽天的」とは異なる。

№22

二人の煙突掃除夫《えんとつそうじふ》

あるフランス人の青年がユダヤ人の娘を好きになって結婚することを望んだ。しかし、娘の両親は厳格なユダヤ教の信者だったので「ユダヤ教徒にしか娘を嫁《とつ》がせない」と宣言した。娘のことを熱愛していた青年は、ユダヤ教徒になることを決意し、ラビ（ユダヤ教の聖職者）のもとを訪ねて相談することにした。

「私はどうしてもユダヤ教徒になりたいと思っています。どうすればよろしいでしょうか」

ラビは次のように答えた。

「ユダヤ教徒になるにはいろいろと面倒な手続きがある。そのいくつかについては、すでにあなたもご存じだろう。しかし、本当にユダヤ教徒になったと言えるのは、ユダヤ的知性を身につけた時だ。今からテストをしよう。いくつかの質問に答えてもらおうか。

まず一問目。ユダヤ人の煙突掃除夫が二人、屋根の上を散歩していたが、誤って煙突から暖炉の中に落ちてしまった。一人が真っ黒になって煙突から出てきた。もう一人は真っ白のまま出てきた。どちらの男が体を洗いに行ったと思うか？」

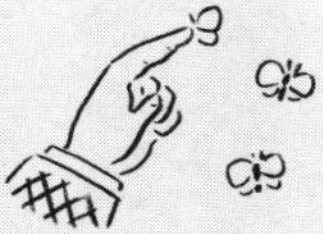

青年は「もちろん黒いほうです」と答えた。それを聞いたラビは口を開いた。

「違う。あなたはユダヤ的知性というものがまったくわかっていない。白いほうに決まっているではないか。二人とも自分の顔を見ることができない。白い男は目の前の黒い男を見て、自分も真っ黒だと思いこむ。そして体を洗いに行こうとする。黒い男は相手の顔が白いので自分も真っ白だと考える。どうかな。あなたの答えが間違いだったとわかっただろう」

続けてラビは「では第二問……」と言い、さっきと同じ質問を繰り返した。

「それは簡単です。さっき答えをうかがいました。真っ白なほうは体を洗いに行きましたが、真っ黒なほうは体を洗いに行きませんでした」

「お若いの、あなたはユダヤ的知性というものがちっともわかっていない。どうして真っ白な人間がわざわざ体を洗いに行くと思うのかね。では最後のチャンスを与えよう」とラビは言って、また同じ質問を繰り返した。

「もう何がなんだかわからなくなりました。えーーと、二人とも体を洗いに行ったのではないですか？」

「あいかわらず、あなたにはユダヤ的知性とやらが、ちんぷんかんぷんらしい。なぜ体を洗う必要などあるのかね。彼らはまだ一日の仕事を終えていないのだよ。まだ汚れるかもしれないのに、なぜ体を洗うのかね」

「ああ、ぼくにはユダヤ的知性がサッパリわかりません。あなたは同じ話を三回しました。でも、そのつど答えが違います。同じ一つの問題に違った三つの答え——どういうことなんですか」

「ああ、ユダヤ的知性なるものが、どうやらちょっぴりわかりかけてきたようじゃな。そうなのだよ。同じ問題に対して三つの答えがあるのだ。だが、こんな発見はたいしたことではない。もっと大切な事実があるのだ。第一に、二人のユダヤ人は屋根の上を散歩するいかなる理由もないということ。第二に、彼らがそろって同じ煙突から暖炉に落ちたのに、なぜ一人が真っ黒で、もう一人が真っ白なのか。これはどう考えてもおかしいということ。この二つを考え合わせれば、この話が事実から遠いこと、つまり現実的でないことがわかる。だから、まずあなたはそのことに気がつくべきであったのだ」

問い自体が間違っていることもある

この寓話が伝えようとしている教えは二つある。一つ目は「問いに対する答えは一つとは限らない」ということ、二つ目は「問い自体が間違っている場合もある」ということだ。

一つ目について、誰もが一度は聞いたことのあるクイズから紹介しよう。

一問目：「雪が溶けたら何になる?」という問い。小学校の理科の問題だったら「水になる」が正解だ。しかし、国語の詩の授業だったらどうだろう。「春になる」や「ぬかるみになる」のほうが良い答えになりそうだ。

二問目：「1+1は何になる?」という問い。常識的には「2」が正解だ。しかし、これは一〇進法の場合の計算に過ぎない。二進法ならば「1+1」は「10」になる。インターネットで調べてみると「1+1=田」という説も出てくる。どういうことかというと——横書きでイメージしよう——「1+1」の上下に「=」の横線を一本ずつ加えて縮めると「田」の漢字になる。これはもはや「なぞなぞ」の世界だ。

さて、私たちは人生の各段階で複数の選択肢からどれか一つを選ぶという状況に遭遇する。そのとき、私たちは「自分にとってどれが正解なのだろうか」と頭を悩ます。こういう場合、正解は一つとは限らないことに注意しよう。A、B、Cの中から一つを選ぶとき、Aは間違いだけど、BとCは両方が正解というケースもあるし、A、B、Cのすべてが正解というケースだってある。

また、算数の問題や「なぞなぞ」と違って人生の問題は何が正解かは誰も教えてくれない。それは自分で判断するしかない。そうであるならば、自分のキャリアを切り開いていく際は「選んだ道を正解にしようじゃないか！」という気概も必要だろう。

この寓話から読み取れる二つ目の教え——問い自体が間違っている場合もあるということについて解説していこう。

大学の入試問題で「問題番号○○に関して、内容に不備があったため、受験者全員を正解として採点するとともに、正解表を訂正いたしました」なんていう通知文を一度くらいは見たことがあるだろう。入試問題や資格試験において問い自体が間違っていることはめったにない。

では、ビジネスの世界ではどうだろうか？　経営学者のピーター・ドラッカーは次のような名言を残している（『現代の経営〈下〉（ドラッカー名著集3）』ダイヤモンド社）。

重要なことは正しい答えを見つけることではない。
正しい問いを探すことである。
間違った問いに対する正しい答えほど
危険とはいえないまでも役に立たないものはない。

新しい事業を企画しようとする際、何より大事なのは正しい問いを立てることだ。そもそも問いと答えはワンセットである。**答えというのは問いの支配下にある**からだ。間違った問いを立てて、それに対する正しい答えを出し、事業を進めてみても上手くはいかない。

『問いこそが答えだ！』（ハル・グレガーセン著、光文社）の中に「ダイアログ・イン・ザ・ダーク」という施設が紹介されている。

これは、完全に光を遮断した「純度一〇〇％の暗闇」の中で、視覚障害者の案内により、視覚以外の様々な感覚やコミュニケーションを楽しむソーシャル・エンターテインメントである。これまで世界五〇ヶ国以上で開催され、九〇〇万人を超える人々が体験し、視覚障害者の雇用を創出するとともに、健常者に視覚障害者の日常生活を理解させるのに一役買っているという。

　このビジネスモデルの始まりは一つの問いだった。約三〇年前、ラジオ局に勤めていたアンドレアス・ハイネッケは「元社員の一人が再び会社に戻ってくることになった」と上司から伝えられた。その社員は交通事故に遭って失明し、いったんは退社を余儀なくされたが、リハビリを終えてまた会社で働くことを希望したのだ。彼が職場へ復帰できるようなサポートを任されたハイネッケはさっそく「どうすれば視覚障害のある人でもそれなりに仕事ができるか」という問題解決に取り組みはじめた。しかし、新しい同僚と親しくなるにつれ、自分が立てた問いがあまりに後ろ向きであることに気づき、もっと前向きな問いを立てることにした。「視覚障害者がその強みを発揮するためには、どのような職場の環境を築けばいいか」という問いである。「ダイアログ・イン・ザ・ダーク」のアイデアがひらめいたのはその時だった。


　さて、問いが間違っているとはどういうことなのか。二つのパターンがありそうだ。一つ目は、問いの前提が間違っている場合である。

　たとえば「会社の人と仲良くなるにはどうしたらいいか」という悩みを抱えている人がいるとしよう。この悩みには「会社で一緒に働く人とは仲良くなる必要がある」という前提が隠れている。この前提は必ずしも正しくない。会社とは、多様な人間がたくさん集まって仕事をするための場所である。いろいろなタイプの人が在籍する場所であり、嫌いな人や苦手な人がいるのが普通だと考えたほうがいい。仕事を円滑に進められるような人間関係を築ければそれで十分ではないか。

二つ目は、問いが本質的ではなくて表面的である場合だ。表面的な問いは多くの場合、まったく用をなさない。

たとえば、「どうすれば、部下のモチベーションを高めることができるか」という課題を抱えている管理職がいるとしよう。部下は物ではなく個性を持った人間なので、誰にでも当てはまり、持続的な効果を生むような答えは望むべくもないだろう。したがって「その部下はどのような価値観、興味、欲求を持って働いているだろうか。また、どういうキャリアプランを描いているのだろうか」という本質的な問いでないと解決には至らないだろう。

人はいろいろな問いを抱えながら生きている。他人に向けた問いもあれば、自らに向けた問いもあるだろう。**その問いに対して良い答えが得られない場合は、問い自体が間違っている可能性もあるということを覚えておきたい。**

第5章

才能と継続と努力

№23

画家ロセッティと老人

定年後に余暇を楽しんでいる老人が、最近描いたばかりの自分の絵を有名な画家ロセッティに見せた。

ロセッティは丁重に「これは人並みの出来だ」と答えた。

そこで老人は、他にも数点の絵を見せた。

明らかに若者の手によるとわかるその作品にロセッティは目を奪われ「これは確かに偉大な才能の出現であり、訓練と練習を積めば大画家になれるであろう」と褒め称えた。

老人が息をのんでいるのを見たロセッティは「これを描いたのはあなたの息子なのか？」と尋ねた。

老人はこう答えた。

「いえ、これらは私が若い頃に描いたものです。でも私は周りに説得され、別の仕事に就いたのです」

老人の才能は消えてしまっていた。使わなければ失うのだ。

才能は使わないと消えてしまう

「才能が花開く」というフレーズをよく聞く。正確に言い直せば「才能の芽が長い時間をかけた修行の末に花開く」ということになる。植物であれば、時間が経過すれば自然に花が咲くであろうが、人間の場合はそうはいかない。「一〇年ルール」とは、高いレベルの知識やスキルを獲得するには、約一〇年（一万〜二万時間）にわたる熟慮を伴う練習や経験が必要だという法則である（『「学び」の認知科学事典』大修館書店）。

この寓話の主人公は周りに説得され、画家への道を諦めて別の仕事に就いた。第一歩を踏み出し、熟慮を伴う修練を続け、経験を積み重ねていく道を選ばなかった。生まれ持った才能がどんなにすごいものであっても、使わなければそれはどんどんしぼんでいく。

主人公には我がままさが足りなかった。〝我が意のまま〟の生き方ではなく、〝周りの意のまま〟の生き方を選択した。才能が花開くには生まれ持った能力の他に、我がままさという要素も必要なのだ。

№24

説教師《せっきょうし》に なりたかった子ども

ある人が自分の子どもに言った。

「お前は仏教を学び、説教師になりなさい」

子どもは親の教えのままに説教師になろうと決めた。

子どもはまず馬の乗り方を習うことにした。

「法事の時、きっと馬で迎えに来るだろう。その際、尻が鞍《くら》に落ち着かない様子で落馬でもしたら情けない」と思ったのだ。

子どもはさらに、歌の稽古にも励んだ。

「法事の後はお酒が出されるだろう。その時に何も芸ができないとなれば、招待してくれた人が興ざめしてしまう」と思ったのだ。

乗馬と歌は次第に上手くなっていった。上達すればするほど面白くなって精を出した。しかし、説教師をめざしていた子どもは、仏教を学ぶ時間がないまま歳をとってしまい、大いに後悔したのであった。

＊【説教師】仏の教理や教えを説いて人々に布教する僧のこと。

一つのことに打ちこんで、それ以外は諦める

『徒然草』第一八八段の前半部分を紹介した。著者の吉田兼好はこの後、おおよそ次のようなことを書いている。

この主人公のみならず、世の中の人は、総じてこのようなことになる。若い時には、何事において名をあげよう、大きな道で大成しよう、芸を身につけよう、学問をしようなどと思いながらも、人生をのんびりと考えて怠けながら生きてしまい、さしあたって目の前のことにだけに心を奪われて月日を過ごしてしまう。そうするうちに、気がつくと歳をとっていく。老いてから後悔しても、もう遅い。何一つとして成し遂げないまま、坂を下る輪のようにどんどん衰えていくのである。

一生を展望してみて「自分はこういうことをしたい」と思うことを書いてみよう。その中で、自分にとって一番重要なことを選び、その一つのことに打ちこんで、それ以外は諦めよう。**どれもこれも捨てずにすべてに執着すれば、一つのことも成し遂げられない。**

№25

呉下《ごか》の阿蒙《あもう》

呉王の孫権《そんけん》の部下に呂蒙《りょもう》という男がいた。呂蒙は武力一辺倒で学問にまったく興味のない男だった。人々は呂蒙の学識のなさを笑って、「呉下の阿蒙（蒙ちゃん）」とからかっていた。

これを見かねた孫権は呂蒙に学問を勧めた。呂蒙は発奮して、勉学に本腰を入れるようになる。やがて本職の儒学者たちをもしのぐほど勉強に努め、見る見るうちに教養を身につけていった。

知識人の魯粛《ろしゅく》は、勇猛なだけが取り柄でまったくの無学であった呂蒙を軽蔑していた。しかし、呂蒙の評判が日に日に上がっていくのを聞いて、呂蒙のもとを訪ねることにした。呂蒙と語り合ってみると、彼は以前とは比べ物にならないくらい豊かな学識を兼ね備えた人物へと成長していた。これに驚いた魯粛は「以前のような呉下の蒙ちゃんではないね」と褒め称えた。

これを聞いた呂蒙は「士別れて三日、即ち更に刮目《かつもく》して相待《あいたい》すべし」、つまり「士たるもの、別れて三日もすれば大いに成長しているものであって、また次に会う時には目を見張って違う目で見なければなりませんよ」と答えた。

成長とは、三日前とは別人になること

成長とはいかなることか。成長とは、自分がどんどん良いほうへと変化していくこと――三日前とは別人になることである。この話のポイントは、呂蒙が自分を変えるために努力をしたこと、具体的には勉学に励んだことだ。もう一つ、忘れてならないのは、自分が仕えている孫権の言葉を「素直」に受け入れたことである。

さて、自分らしく生きるとはどういうことだろうか。自分の身の程を知り、自分の身の丈にあった生き方をすることだろうか。これは、自分は変え難いものであり、変化を望むのは良いことではないという考えに通じる。ずいぶんと窮屈で不自由な人生になってしまう。

自分らしく生きるとはまったくの逆で、**自分の身の程をわきまえず、自分の身の丈を超えた生き方をすること**ではないか。これは、自分は変えていけるものであり、変化を望むのは良いことだという考えに通じている。そう考えることができれば、自由な人生への通路が開けてくる。

№26

寝《しん》の丘を願え

ある男が病気にかかり、今にも死にそうな状態だった。臨終の際に子どもに諭《さと》して言った。

「王は何度も私に領地を授けようとした。だが、私は受けなかった。もし私が死んだら、王はお前に領地を授けようとするだろう。そのとき、豊かな土地を受けてはいけない。楚と越の間に、寝の丘という場所がある。ここは土地が豊かでないことに加えて、名前もたいへん悪い。楚の人は死者の魂を恐れ、越の人は神のお告げを信じている。長く所有できるのはここだけである」

男が死ぬと、王は案の定、肥えて豊かな領地をその子どもに授けようとした。だが子どもは辞退し、寝の丘を願い出た。だから今になっても失われない。

死んだその男は知者で、利点を利点とみなさないこと、人の憎むものを自己の喜びとみなすことを知っていたのだ。

これは道徳を備えた人間が俗人と異なる理由である。

不利な条件を活かす

子孫のためにどういう土地を残すか。普通に考えれば、豊かな土地を選ぶだろう。しかし、この男はそうしなかった。豊かな土地は誰もが欲しがる土地だから争いごとが起きかねない。必ずしも利点ばかりではないからである。

では、痩せた土地はどうだろうか。痩せた土地なんて誰も欲しがりはしない。欲しがる人がいなければ争いごとはまず起こらない。それだけではない。子孫たちは痩せた土地を豊かな土地に変えていこうと懸命に努力するから、子孫の間の結束力がより強まるだろう。

この話の教訓は、**恵まれた条件はかえって禍《わざわ》いをもたらすことがあり、逆に不利な条件が福をもたらすことがある**ということだ。

不利な条件と有利な条件について考察してみる。不利な条件（ハンディキャップ）を乗り越えて生きているものほど優れており、そういう個体は魅力的であるという考え方がある。世間では「ハンディキャップ理論」と呼ばれる。

クジャクを例に説明しよう。雄のクジャクはなぜ大きくて華麗な羽を備えているのか。答えは雌を惹きつけるためだ。長くて大きい羽は繁殖期の雄だけが持っており、立派になればなるほど雌にもてるわけである。

ではなぜ、雌は雄の派手な羽に惹きつけられるのだろうか。羽が角ならばわかる。角は敵を倒す武器になるからだ。それは強さの証であり、強い雄の遺伝子が欲しい雌には大いに魅力的に映ることだろう。しかし、敵を倒すのに羽は役立たない。それどころか、闘うにはどう考えても邪魔になる。しかも、大きくて華麗な羽は目立ってしまって天敵から真っ先に狙われる。立派な羽が邪魔になり、逃げるのも難儀する。どう見ても生存には不利な点ばかりである。

ここで二羽の雄のクジャクをイメージしよう。一方は大きくて華麗な羽を持った雄(A)、もう一方は普通の大きさでそこそこ綺麗な羽を持った雄（B）である。AはBに比べて圧倒的なハンディキャップ（大きくて壮麗な羽は目立つし、逃げるのに邪魔になる）を持っている。そういうハンディキャップを持っているにもかかわらず、Aは立派に生き抜いている。これこそが強い雄であることの証であり、強い雄を選ぼうとする雌はBではなくAを選ぶ。BよりもAのほうがもてるのだ。

№27

甚次郎兵衛《じんじろべえ》さんの験担《げんかつ》ぎ

昔々、ちょっとしたことでも気にしたり、何でも迷ったりする甚次郎兵衛さんという男がいた。

ある日、甚次郎兵衛さんが大根の種をまこうと畑に向かったところ、頬をおさえて顔をしかめている娘さんと出くわした。「どうかしたのか？」と聞くと、「虫歯が痛くて、これから歯医者さんに行くの」と答えた。

すると甚次郎兵衛さんは「なに？ 虫歯？ 縁起でもない。葉っぱを虫に食われて〈虫葉〉になったら大変だ。今日は種まきやーめた」と言って家に帰ってしまった。

次の日、甚次郎兵衛さんは、気をとりなおして、畑へ出かけた。すると隣のじいさんが来て声をかけた。「朝早くから、はばかりさん（関西弁で「ご苦労さん」という意味）」

これを聞いた甚次郎兵衛さんは「なに？ はばかりさん？ できた大根が〈葉ばかり〉では、何にもならんわ。今日も種まきやーめた」と言って、また家に帰ってしまった。

次の日は誰にも会わないように朝早く、畑へ出かけた。今度こそ種をまこうとしているとお寺の住職が通りかかった。「甚次郎兵衛さん、こんなに朝早くから、どうかしましたかな」と聞くもんだから、前日と前々日のことを説明した。するとこの住職は大笑いしながら「そんな根も葉もないことに惑わされてどうするんですか」と注意した。

これを聞いた甚次郎兵衛さんは「住職さん、それはないやろ！　いくら何でも、根も葉もない大根なんて」と言って、その場に座りこんでしまった。

縁起を怠慢の口実にしない

男の身に次々と縁起の悪いことが起きてなかなか仕事に取りかかれなかった話なのか、仕事をしたくなかったから「縁起が悪い」理由を次々とでっちあげた話なのか。後者の読み方をすれば、この話の教訓は「縁起を怠慢の口実にしないこと」となる。

さて、縁起を担ぐことは、誰でも多かれ少なかれしていることだ。試験や試合の前に「縁起の良いもの」を食べた経験は誰でも一度くらいはあるだろう。

カツ丼（勝つ）、おむすび（努力が実をむすぶ）、納豆（粘り強く）、オクラ（粘り強く＋切り口が五角形だから合格）、ウインナー（winnerだから勝者）、いよかん（いい予感）など、いろいろなバリエーションがある。まあ、こういう縁起担ぎならばご愛敬という話で済む。

さて、森田療法の創始者である森田正馬は「雑念即無想」という言葉をよく使った(『日々是好日』大原健士郎著、白揚社)。人間である以上、雑念が浮かんでくるのは避けがたいものである。だから、この話の主人公が、縁起にこだわるというのも、ある種の雑念に囚われるということだ。

森田は雑念との付き合い方について次のような助言をしている。雑念が浮かんでくることを追い払おうとせず、雑念が起きるままに受け入れ、やるべきことをやるだけである。たとえ、それが嫌な仕事であれ、気が乗らない勉強であれ、雑念に囚われて仕事や勉強から逃げてはいけない。**雑念は雑念として頭の隅っこに置いておいて、仕事や勉強に取りかかることが大事**である。仕事や勉強を始めて気が乗ってくれば、その雑念はどこかへ消え去っている。

№28

タコと猫

あるとき、タコが陸に上がって昼寝をしていた。

そこへ大きな野良猫がやってきて、タコの足を片っ端から食べはじめた。

寝ぼすけのタコは、自分の足が食われているのも知らずに、ぐうぐうと寝ていた。

七本まで食べて腹一杯になってしまった猫が前足で顔を洗っている頃になって、タコはようやく目を覚ました。

タコは自分の足を見て、悔しがった。なんとかして猫を引き寄せ、残った一本の足でぎゅーっと締めつけてやろうと思った。

「猫さん、猫さん、一本ばかり残さないで、どうせならみんな食ってくれ」

とやさしい、やさしい声で言った。

すると猫は、後ろ足で立ち上がって、

「よせやよさねえか～　その手は食わぬ～　むかしその手で二度だまされた～　ハア、ニャンゴは商売、商売～」

と歌いながら、ふくれたお腹をさすりさすりして帰っていった。

何事もし尽くさない

この話の教訓は「欲張るな！　調子に乗って度を超すな」ということだ。

作家の色川武大は『うらおもて人生録』（新潮文庫）の中で「九勝六敗のルール」を示している。「プロは、一生を通じてその仕事でメシがくえなくちゃならない」。「だから、プロの基本的フォームは持続が軸であるべきだ」。「しかし、何もかも上手くいくということはありえない」。めざすべき人間を大相撲に喩《たと》えれば「九勝六敗くらいの星をいつもあげている人」である。

大相撲の場合、一つの場所で一五番の取り組みがある。全部を勝とうとせずに「勝ちが九つ、負けが六つ」をめざせばよいということだ。全勝をめざそうとすると、肉体的にも精神的にも無理をすることになり、途中でつぶれてしまいかねない。たとえ、その場所を全勝に近い成績で終えたとしても、無理がたたって次の場所を休場する羽目になったり、出場しても負け越したりするのが関の山である。

№29

ウサギとカメ①

ウサギとカメが足の速さのことで言い争い、勝負の日時と場所を決めて別れた。

さて、勝負の日、かけっこが始まった。

ウサギは生まれつき足が速いので、真剣に走らず、道からそれて眠りこんだ。

カメは自分が足の遅いことを知っているので、たゆまず走り続けた。

カメは、ウサギが横になっているところを通り過ぎて、勝利のゴールに到達した。

油断大敵、才能より努力

この寓話からは二つの教訓を引き出すことができる。ウサギに焦点をあてれば「油断大敵」という教訓、つまり強者であってもそれに甘んじて油断していると、弱者と侮っていた相手に負けてしまうことだってあるという教訓が得られる。カメに焦点をあてれば、弱者であってもコツコツとまじめに頑張っていれば、ときに幸運が転がりこんで強者に勝てることもあるという教訓が得られる。

ところで、競走は本来、公正でなければいけないのに、この勝負は公正さに欠けているように思う。カメは、陸ではなくて水（池など）での勝負を提案してもよかった。当然、泳ぎが得意ではないウサギはそれを拒否するだろう。陸上で勝負するか、水上で勝負するかで意見が分かれるかもしれない。トライアスロンのように、スイム（水泳）とラン（長距離走）を組み合わせた勝負が公平な競走だと思う。

№30

ウサギとカメ②

ウサギとカメは競走することになり、日取りを決めた。ウサギのほうは、競走のことなど気にもかけないで、遊びほうけていた。一方のカメは、親類中の家を訪ね歩き、競走の日の朝早く、会場に集まってほしいと頼んだ。

さて、かけっこの当日、カメは会場に集まった親類のカメたちに、一定の間隔で道の脇に隠れているようにお願いした。

いよいよ競走が始まった。ウサギはのんびりと走った。カメがどんなに頑張ったところで、自分にかなうはずがないと考えたからだ。しばらく走って、もう十分に引き離しただろうと思い、立ち止まって後ろを向いて声をかけてみた。

「カメくん、まだついてきているかい?」

するとその近くに隠れていた親類のカメの一匹が「ええ、すぐ後ろにいますよ」と答えるではないか。

ウサギはびっくりした。ぼくの耳がどうかしてしまったのだろうか。カメがぼくについてこられるはずはないんだが……。

ウサギは気を取り直して、今度はもっと速く走り始めた。しばらくして一休みしたくなったウサギは立ち止まって、また呼びかけた。

「カメくん？」

ところがどうだろう。また、その近くに隠れていたカメが出てきて、「ぼくはここにいるよ、ウサギさん」と答えるではないか。

すっかり慌ててしまったウサギは、ものすごい速さで走り出した。足がほとんど地面につかないほどだった。こうしてウサギはゴールの半分のところまで来た。ウサギは、はあはあとあえぎながら声をかけた。

「カメくん？」

ところがどうだろう。また、その近くに隠れていたカメが出てきて「なんだい、ウサギさん」と答えた。

これはいったいどうなっているんだ！　ウサギは何がどうなっているかがわからないまま、再び走り始めた。それからは途中で立ち止まったりせず、ひたすらゴールをめざして走り続けた。

やっとのことでウサギはゴールに飛びこんだ。だが、ゴールするやいなやパタリと倒れて死んでしまった。

準備、知恵、連帯で強者を打ち負かす

アフリカの寓話である。この話の教訓は、知恵をはたらかせ、準備を整え、仲間に協力してもらえれば弱者であっても強者に勝てるということだ。

簡単におさらいをしてみよう。まず、カメは「普通に戦ったのでは勝てない」という冷静な状況判断をした。「どうすれば勝てるか」を考えて知恵を絞った。その末に、親類のカメたちを道筋に配置するという奇策を捻《ひね》りだした。さっそく準備に取りかかったカメは、親類中の家を訪ね、事情を話した上で作戦の全容について説明した。そして、競走の日の早朝に会場に集まってくれるように頼んだ。当日、集まった親類のカメたちは、競走が始まる前に一定の間隔で道の脇にこっそりと隠れた。見事なチームワークのおかげでウサギを打ち負かすことができた。そういう話である。

「ウサギとカメ①」と「ウサギとカメ②」を比較してみよう。どちらも、身体能力に劣った者が身体能力の優れた者に勝つという話である。では、どこに違いがあるのか。「ウサギとカメ①」において弱者であるカメが勝てたのはあくまでも相手の油断があったからである。何か知恵をはたらかせたわけでもなく、ただ愚直にまじめに自分のできることをしたのみである。勝ちの要因はたまたまに過ぎず、幸運が舞い込んだということだ。

一方の「ウサギとカメ②」においてカメが勝てたのは、知恵をはたらかせ、準備を整え、仲間に協力してもらったからである。身体能力で勝てない相手には頭脳を駆使して立ち向かわなければいけない。それでも勝てそうにないなら、他者の力を上手に取り込み集団で挑んでいかなければならない。

「ウサギとカメ①」も「ウサギとカメ②」も弱者が強者を打ち負かす寓話である。しかし、逆の寓話――弱者は強者に勝てない寓話――も存在する。たとえば、イソップ寓話の「鷲と鳥と羊飼」(『イソップ寓話集』山本光雄訳、岩波書店)がこれに該当する。この話の最後は「このように優れた者と競争しようとすると、何の得るところもないばかりか、ひどい目にあったおまけに物笑いを買うものです」となっている。

寓話というのは、話によって相矛盾する正反対の教訓が説かれていることに注意したい。

弱者でも強者に勝てることを教える寓話もあれば、弱者が身の程をわきまえず強者と競おうとすると恥をかくばかりかひどい目に遭うということを教える寓話もある。これは、**寓話が提供するのは、さまざまな具体的状況の中で自分がどう行動したらいいのかを示す処方箋**だからである。いつどんな状況でも片方だけを信じて突き進むのは危険であり、両方の可能性を頭に入れながら適切なほうを選択することを暗示しているのである。

第6章

意欲とたくましさと自由

№31

二つの時計

アメリカの田舎の駅に二つの時計があり、これがいつも別々の時刻をさしていた。

あるとき、乗客が駅長に食ってかかった。

「なぜ、合わせておかないのだ！」

するとと駅長が答えた。

「二つとも同じ時刻をさすのであれば、時計は二つもいりませんよ」

違っているのは素敵なこと

ここでは、時計を人間の寓意だと考えてみよう。まったく同じように考え、まったく同じように行動する人間がいたとしたら、そんな人間は必要ないかもしれない。

日本人はとりわけ人と違う意見を述べたり、異なる行動をしたりすることを恐れる傾向が強い。**「違っているからこそ存在価値がある」**というポリシーをもっと大事にしたい。違っているのは素敵なことなのだ。

「すべてが間違っているということはありえない。どんなに壊れた時計でも一日に二回は正しい時刻を示す」（マーク・トウェイン）という名言がある。

たとえば自分の意見を述べようとするとき、その意見のすべてが間違っていることはない。たいていの場合、全体の一部分は間違っているけど、その他の部分は正しい。世の中に完璧な意見なんてありはしない。だから、自信を持って自分の意見を述べよう。

№32

ウサギを追う犬

一匹の犬が、仲間の犬たちに「おれは誰よりも速く走ることができる」と自慢していた。

ところがある日のこと、その犬はウサギを追いかけたが、捕まえ損ねてしまった。

その様子を見ていた仲間の犬たちは彼を笑った。

「いいだろう」とその犬は言った。そして続けた。

「確かにおれがおまえたちに自慢していたようにはならなかった。しかし、考えてもみてくれ。ウサギは命をかけて走っていた。だけど、おれは自分の晩飯のために走っていただけなんだ」

〈意欲〉＝〈期待〉×〈価値〉

ウサギは「生きるか死ぬか」の気持ちで逃げた。それに対して犬は命がけで追いかけるほどの気持ちはなかった。必死さの程度が違っていた。意欲の差ということだ。

アトキンソンという心理学者は〈意欲〉＝〈期待〉×〈価値〉という式を示している。〈意欲〉とは目標を達成するための実行力、〈期待〉とは目標を達成する見込みの高さ、〈価値〉とは目標を達成したことで得られる価値である。注意したいのは〈期待〉と〈価値〉は足し算ではなく、かけ算になっていることだ。ということは、一方がゼロだと、もう一方がどれだけ大きくても意欲はゼロになるということだ。

ウサギと犬の意欲の差は〈価値〉の違いから生まれたと考えられる。ウサギにとっては逃げ切れないことは自分の死を意味するわけだから、優先順位のもっとも高い価値観である。一方の犬にとってはどうだろうか。もちろん晩飯にありつけるのは嬉しいことではあるものの、ありつけなくても死ぬわけではなくて、別の獲物を狙えばいいだけの話である。

№33

ジャナカ王とアシュタバクラ

昔インドにジャナカ王という王様とアシュタバクラという大臣がいた。ときおり王様がアシュタバクラに意見を求めると、いつも同じ答えが返ってきた。「王様、起きたことはすべて最高でございます。起こらなかったこともすべて最高でございます」。王様は、よく意味がわからないながらも、その言葉を聞くと何となく安心することができた。

王様は、アシュタバクラを他のどの大臣よりも可愛がっていたので、他の大臣は彼に嫉妬していた。「アシュタバクラのやつ、いつも同じことを言っているくせに、王様に気に入られやがって……。いつか懲《こ》らしめてやる」と思い、虎視眈々《こしたんたん》とその機会を狙っていた。

ある日、王様が指にケガをした。大臣たちは、これはチャンスとばかりにアシュタバクラに尋ねた。「王様がケガをしたぞ。おまえはどう思う?」。するとアシュタバクラは、いつものように「起きたことはすべて最高です」と答えた。

すぐさま大臣たちはそのことを王様に報告した。さすがの王様もそんな言い方をされるのは心外で、アシュタバクラを呼び寄せて尋ねた。

「おまえは私が指にケガをしたと聞いて、それは最高なことだと答えたそうだな」

「はい、王様。いつも私が申し上げているではないですか。起きたことはすべて最高の出来事でございます」

王様は自分がケガをしたことを最高の出来事だと言われ、腹が立った。そして、アシュタバクラを牢屋に入れた。

翌日、狩りに出かけた王様は人食い部族に捕らえられた。身ぐるみをはがされ、木に縛られて火あぶりにされることになった。人食い部族は火をつける前に、王様の体を確認した。すると、一人の男が声を上げた。「こいつ、指にキズがあるぞ！」

この人食い部族は部族以外の者を捕らえると、火あぶりにして神様への捧げ物にした。ただし、神様への捧げ物にキズがあってはならないという決まりがあった。

「指にキズがある奴を捧げ物にしたら大変なことになるぞ！」

こうして王様は間一髪のところで解放された。

宮殿に戻ってきた王様は、アシュタバクラを牢屋から出して謝った。

「おまえの言ったとおり、指をケガしたことは最高の出来事だったぞ。ケガをしていたからこそ、助かったのだからな。しかし、私は一つだけ後悔していることがある。それは、おまえを牢屋に入れたことだ」

するとアシュタバクラはにこやかに答えた。

「王様、いつも私が言っているではないですか。起きたことはすべて最高なんです。もしも私が牢屋に入れられていなかったら、私は王様と一緒に狩りに出かけたでしょう。狩りのとき、私は王様の側を一時も離れませんから、私も一緒に捕まったことでしょう。私はどこもケガをしていませんでしたから、きっと火あぶりになったでしょう。ですから王様、私は牢屋に入れられてよかったんです」

起きたことは最高！
起きなかったことも最高！

『解決志向の実践マネジメント』（青木安輝著、河出書房新社）の中で紹介されている寓話である。著者の青木は、自分の心理状態が不快モードに入ってしまい、それを快モードに変えようとするとき、あるいはニュートラルな状態まで戻したいとき、「起きたことはすべて最高である」「起こらなかったこともすべて最高である」という「毒消しの呪文」を唱えるようにしていると述べている。

この寓話の主題は「過去に起きた出来事をどうとらえるのが良いか」ということである。過去に起きた出来事の中で、良いことでも悪いことでもないような中間の出来事は記憶から消えていく。覚えているのは良い出来事と悪い出来事のどちらかである。良い出来事は自分の宝物だから、いつでも取り出せるような場所に保存しておいて、時々心の中から取り出してきて味わうと元気になれる。

問題は悪い出来事との付き合い方だ。前提として次のことを押さえておこう。自分の身に起きた過去の悪い出来事を変えることはできない。変えられないのだからその出来事自体は受け入れるしかない。私たちにできることは過去に対する見方を変えることだけだ。こういう前提を理解した上で、過去の悪い出来事とどう付き合うのが望ましいかを考えてみる。

望ましくないのは、何かにつけてその出来事を思い出し、「ああ、最低の出来事だ〜、あれさえなかったらなあ〜、どうしてああなってしまったのだろう」と思いあぐねる態度である。これでは自分の視線はいつまでも過去を向いたままである。

望ましいのはそれを思い出したときに「起きたことはすべて最高である」「起こらなかったこともすべて最高である」と常に自分に言い聞かせる行動習慣である。全面的にそう思えなくてもいいので「そういう考え方もできるよね。そういうことにしよう」という程度でも構わない。ひとまず自分の過去を受け入れることである。

過去を受け入れないということは、今の自分を否定することである。逆に、過去を受け入れることは今の自分を肯定することである。今の自分を肯定する境地に達すれば、心に余裕と元気が生まれ、未来に視線を向けられる。つまり、自分の未来が開けてくるのだ。過去は過去のためにあるわけではない。過去は未来のためにあるのだ。

次に「自分の未来」について考えてみよう。前提として押さえておきたいのは、過去は変えられないけど未来は変えられるということだ。こう言えるのはなぜか。自分の思考や行動は自分で選択できるからである。「自分は何をどう考えるか」「自分はどういう目標を定めてどう行動するか」は自分でコントロールすることができる。コントロール次第で、自分の未来の様相は変わってくるのだ。

もちろん、そういう考え方を選択しないことも可能である。世の中には、神意論（未来のすべては神様が決めている）、宿命論（未来のすべてはそうなるように予定されている）、偶然論（未来のすべてのことは結局のところ偶然に帰着する）などを信奉する人もいる。これら三つに共通するのは「自分の未来に関するあらゆることは自分の思い通りにはならない」という考え方である。いずれも極論中の極論であり、われわれの実感とはかけ離れている。すべてではないにせよ、自分の選択や自分の努力によって自分の未来は変えていけるのではないか。

自分の選択や努力次第で未来の様相は徐々に変わっていき、それにつれて過去に対する見方も変化していく。悪い出来事の直後はともかくとして、それが三年後、五年後、一〇年後も悪い出来事のままだとは限らない。というのは、その後の人生を歩んでいくうちに「あの出来事があったからこそ自分はこう成長できた」とか、「あの出来事があったからこそ、私はここまで頑張ることができた」とか——そんなふうに回想できるようになりえるからだ。悪い出来事であっても、その悪い出来事があったからこそ、全体として良い人生になったということもある。最低の出来事であっても、その最低の出来事があったからこそ、全体として最高の人生になったということもある。そういう境地に達すれば、悪い出来事は良い出来事に、最低の出来事は最高の出来事に変換される。

№34

わらしべ長者

昔々、ある若者が、お寺で観音様にお願いをした。

「どうか、お金持ちになれますように」

すると、観音様が言った。

「ここを出て、はじめにつかんだものが、お前をお金持ちにしてくれるだろう」

若者はお寺を出て歩き始めた。しばらく行くと、石につまずいてスッテンと転んだひょうしに、一本のわらしべをつかんだ。

「観音様がおっしゃった、はじめにつかんだものって、これのことかなあ？とても、これで金持ちになるとは思えないが……」

若者は首をひねりながら歩いていると、プーンと音をたてて一匹のアブが飛んできた。若者はそのアブをつかまえると、持っていたわらしべに結んで遊んでいた。

すると、向こうから貴族の乗ったくるまがやってきて、中に乗っている子どもが言った。

「あのアブが欲しいよう」

「ああ、いいとも」
若者が子どもにアブを結んだわらしべをあげると、家来の者が、お礼にミカンを三つくれた。
「わらしべが、ミカンになったな」

また歩いていくと、道ばたで身分の高そうな女の人が「のどがかわいた」としきりに水を欲しがっていた。

若者は側に寄り、持っているミカンを与えた。すると、女の人は元気を取り戻し、立派な布三反をお礼にくれた。

「今度は、ミカンが布になったな」


若者がその布を持って歩いていくと、馬が倒れて困っている男の人がいた。

「どうしました?」

「馬が病気で倒れてしまったのです。町に行ってこの馬と布を交換する予定だったのに。今日中に布を手に入れないと、困るのです」

「では、この布と馬を交換してあげましょうか?」

若者がこう言うと、男の人は大喜びで布を持って帰った。

若者が馬に水をやったり体をさすったりしていると、馬はだんだん元気になってきた。よく見ると、たいへん立派な馬だ。

「今度は布が馬になったな」

その馬を連れて歩いていると、今度は引っ越しをしている家の前を通りかかった。

その家の主人が、若者の馬を見て言った。

「急に旅に出ることになって、馬が必要なのじゃ。その馬をわしの家や畑と交換してもらえないかね」

若者は立派な家と広い畑をもらって、大金持ちになった。

成長はステップ・バイ・ステップ

「わらしべ長者」のあらすじを紹介した。最初にこの話をおさらいしておこう。若者がたまたま手にした「わらしべ」に「アブ」を結びつけて歩いていると、それを必要とする人に会って「ミカン」と交換する。「ミカン」を持って歩いていると、それを必要とする人に会って「布」と交換する。「布」を持って歩いていると、それを必要とする人と会って「馬」と交換する。「馬」を連れて歩いていると、それを必要とする人と会って「立派な家と広い畑」をもらう。つまるところ彼の所有物は「わらしべ＋アブ」→「ミカン」→「布」→「馬」→「家と畑」と変化していったという話である。

この話の別パターンとして、自分の所有物が「わらしべ」→「蓮の葉」→「三年味噌」→「刀」へと変化し、最後は「長者の娘」と結婚するという話も有名である。

こういう昔話は寓話とは違って、私たちに明確な教訓を示してくれるわけではない。しかし、広い意味で私たちに役立つからこそ、大昔から今に至るまでこの話が受け継がれてきたのであり、教訓のようなものが暗示されているはずである。昔話研究者の小澤俊夫は「わらしべ長者」という昔話を、これから社会に出て行く若者を勇気づける話だと解釈している（『働くお父さんの昔話入門』日本経済新聞社）。

最初は取るに足らないものしか持っていなくても、歩いていると何かしらそれと見合うようなものに出会い、それを完全に自分のものにすれば、また次にそれと見合うようなものに出会える。そうやって人生はどんどん開けていくものだ。だから、臆病にならず「人生という道」を元気に歩いて行こう。こんなメッセージが隠れていると小澤は述べている。

要するにこの話は「人間の発達とはいかなるものか」ということを取り扱っているのだ。発達とは人間が機能上より有能に、構造上より複雑な存在になっていく過程である。

ここで忘れてならないのは、発達には順序があること、つまり一足飛びに発達することはなくて段階を経ながら少しずつ発達していくということである。要するに発達はステップ・バイ・ステップなのである。

どうしてそうなのかというと、ある段階を生き抜く力は、それ以前の発達段階の中で獲得されていくからである。

たとえば、学童期↓青年期↓成人期↓壮年期（中年期）↓熟年期（老年期）というように発達段階を考えるとき、**成人期を生き抜く力は青年期で獲得された力がベースになるし、壮年期を生き抜く力は成人期に獲得された力がベースになる**のである。

さて、魔法と仕事という対比からこの話をとらえることもできるだろう。この若者は最初、観音様に「どうか、お金持ちになれますように」とお願いしている。このとき若者は、要するに〝魔法〟を求めたのだ。一瞬にして〝お金持ち〟になることを望んだのだ。

しかし、観音様は若者に自立を促し、社会の中に飛び出して働くことを求めた。子どもや若者が主人公の昔話にはしばしば魔法が登場する。

しかし、魔法というのは物語の中には存在しても、実生活の中には存在しない。人生に魔法の杖はないのだ。

魔法の杖がないと知ることで青春は終わる。地道に働く覚悟を決めたときから成熟に向けた歩みが始まる。

No 35

買い物をする母と娘

ある女性がスーパーマーケットで買い物をしていると、一緒にいた幼い子どもが大声で泣き出した。女性は静かに言った。「あと、いくつか買うだけよ、シャロン。そうすれば終わりだから」

しかし、子どものかんしゃくはおさまらず、さっきより大きな声で泣き叫んだ。それでも母親は穏やかに言った。

「さあ終わったわ、シャロン。あとはお金を払うだけよ」

子どもはレジのところで、さらに激しく泣きわめいた。母親は落ち着いた様子で言った。

「あと少しでおしまいよ、シャロン。もう車に戻れるわ」

それでも泣き続ける子どもは、車に戻ってからようやく泣き止んだ。

若い男性が母親に近づき、こう言った。

「店にいる時から見ていました。シャロンが駄々をこねている間、あなたはずっと穏やかだったことにとても感心しました。大切なことを教えてもらった気がします」

母親は男性にお礼を言うと、一言だけ付け加えた。

「でも、子どもの名前はシャロンじゃないんです。私がシャロンなんです」

自分への声がけが自分を救ってくれる

アメリカのジョークには様々なパターンがある。この小話は読む人の「意表を突く」パターンである。

読者は当然のこと、母親が子どもに声をかけていると予想する。ところが、その予想は見事に外される。母親が声をかけていたのは自分自身だったのだ。この意外な展開は常識的なものの見方やステレオタイプ的な発想にゆさぶりをかけ、そこに「面白さ」が生まれる。

他人への思いやりと同様に、自分への思いやりも大事である。自分と他人との関係を良くすることも大事だが、それ以上に自分と自分との関係を良くすることも大事である。

自分と良い関係を築くときに大切なのは、自分に感謝の言葉や労いの言葉をかけることだ。

「今日も一日、ありがとう！」「毎日よくやっているよ！」「本当に頑張っているね！」「お疲れ様でした！」など、ありふれた言葉でかまわない。

第7章

人間関係の基本ルール

№36

粉《こな》薬《ぐすり》

昔々、毎日のように姑にいびられている嫁がいた。箸の上げ下ろしから、雑巾のかけ方まで、ああだこうだと言われていた。姑は、近所の家に行っては、あることないこと嫁の悪口を話して歩いた。

嫁は「こんな姑とはこれ以上、一緒に暮らせない。姑が死ぬか、自分が死ぬか……」。そんな思いに至り、ある日、和尚様のところを訪ねた。

「何か良い方法はないですか」

「そういう姑だったら殺すのが一番良かろう」と和尚は言った。そして「おまえ、姑を殺したいんだろう」と聞いた。うなずいた嫁を見て和尚は続けた。

「ではな、薬をやろう。これを毎日毎日、一〇〇日のあいだ姑の飯の上にパラパラと振りかけて食わせてやれ。そうすれば一〇〇日目には必ず死ぬからな。そのかわり、今までピンピンしていた姑が急に死んでしまうとなると、あれは嫁が殺したんではないかと疑われかねない。そうならないように、これから一〇〇日のあいだ、姑に何を言われても『はい、はい』と返事をしろ、黒いものを白いと言われても『はい』と返事をしろ。姑が喜ぶことを探してやってやれ。姑の喜ぶご馳走を作ってやれ。とにかく優しくしてやれ」

「一〇〇日の辛抱だったら、なんだってできる」と思った嫁は、朝ご飯と晩ご飯にその粉をパラパラと振りかけて過ごした。そして、和尚様の言いつけをしっかり守り、姑に優しくした。五〇日、六〇日が経つうちに、姑のほうでも何やら奇妙な気持ちになってきた。「うちの嫁はほんとうに優しい嫁だ」と言いながら、近所の家を歩くようになった。何かをもらってくると嫁に半分分けてくれるようになった。夜は夜で「お前、くたびれただろうから、先に寝ろや」と言って先に寝かせてくれるようになった。

九五日、九六日、九七日と経つうちに、嫁は焦りだした。「こんなに優しいおっかさまを殺したのでは、私は地獄へ行かねばならない」と思った。

そこで和尚様を訪ねて頼んだ。

「お願いします。姑を殺すんだったら、私が先に死なねばならない。私にもあの薬をください。みんないっぺんに飲んで、私もおっかさまと一緒にあの世に行くからさ」

「心配することはねえぞ。あれはな、砂糖という粉だからな」と言って和尚様は笑った。

やまびこの法則

嫁姑問題とは、結婚した女性（嫁）とパートナーである男性の母親（姑）との間で起きる確執やイザコザをいう。『ユダヤ五〇〇〇年の知恵』（ラビ・M・トケイヤー著、講談社プラスアルファ文庫）を読んでいたら、「ヤギとトラは同じ納屋の中で暮らせるか。答えはノーである。人間でも、姑と嫁は一つの屋根の下では暮らせない」という一文を見つけた。嫁姑問題は時代や国を超えたテーマなのだろう。嫁と姑が一つ屋根の下で暮らせばもちろんのこと、別々に暮らしていてもトラブルが起きないわけではない。

「無理に仲良くなろうとしない」「物理的、心理的に距離をとる」あたりが実践的な処方箋だろうか。この昔話のように嫁が姑に尽くしたところで「姑の態度が変わるなんてありえない」「年齢差による価値観の違いは埋まらない」「四〇歳を過ぎた人間の性格は変わらない」という突っ込みが入りそうなのは百も承知である。確かにその通りだろう。

さて、ここでは「嫁と姑の関係」から「一人の人間と一人の人間の関係」へと視点を広げ、「より良い人間関係を結ぶコツ」を教えてくれる話としてとらえてみよう。

そうすると、この昔話は「やまびこの法則」の喩《たと》え話と読める。やまびことは、山や谷間などで音が反射して返ってくることだ。山登りをして山頂に到達した時、「ヤッホー」と大声で叫ぶと、その声が山肌などで反射して「ヤッホー」と戻ってくる――あの現象がやまびこである。やまびこは決して裏切らない。「バカヤロー」と叫べば「バカヤロー」と返ってくるし、「ありがとう」と叫べば「ありがとう」と返ってくる。ここから転じて、他者に対してとった自分の言動はすべて自分に返ってくることを「やまびこの法則」と呼ぶ。

たとえば、知り合いに「おはよう」と挨拶をすれば、その人から「おはよう」と返ってくる。視界に入ったのに気づかないふりをして声をかけなければ、その人からも同様の態度をとられる。あなたが自分の周りの人たちに笑顔で接すれば、他の人はあなたに笑顔を返してくれるし、逆にあなたが不機嫌そうな顔で接すれば相手も不機嫌そうな顔で対応するのだ。良い言動も悪い言動もすべてそのまま自分に返ってくるということである。

№37

馬鹿

ある時、嫁と姑が針仕事をしながら、向かいの山に一頭の動物がいるのを見つけた。

「おかあさま、向かいの山に馬がいます」と嫁は言った。

これを聞いた姑は「何を言うか。あれはシシ（鹿）ですよ」と言った。

「あれは馬です」「いやあれは鹿だ」と二人は一日中、言い合いをした。

このままではらちがあかないので、とうとう大岡様のところへ行って裁いてもらうことにした。

二人はそれぞれ、お裁きの前夜にこっそりと白布一反《いったん》の賄賂《わいろ》を届けた。

さて翌日の裁判——。大岡様は「あれは馬でもないし、鹿でもない。馬鹿というものだ」というお裁きをした。

白布二反はただで取られてしまった。

仲間内のケンカは白黒つけない

大岡様の「馬でもないし、鹿でもない。馬鹿というものだ」というお裁きは「馬でも鹿でもどっちでもいい。そんなことで仲違いしているおまえたちは馬鹿者だ」ということだ。

この寓話の教訓は「身内のケンカは白黒つけない」ということになろうか。もちろん、会社の会議で「A案で進めるか、B案で進めるか」という場合はどちらかを選択しなければならない。しかし、友人との雑談、家庭内での会話などにおいて、白黒をつけなければならない事案はほとんどない。どっちでもいいことには無理に白黒つけなくていい。

確かに曖昧《あいまい》なままよりも白黒つけるほうが良いように思える。しかし、勝ったほうは気分が良いが、負けたほうは気分が良くない。だから、**自分の生死に関わることでない限り、白黒つけずに曖昧にして流すほうが賢明だ。**また、図らずも白黒がついて相手の間違いが明白になってしまった場合は、何らかの「逃げ道」を用意して相手を追い詰めないのが大人の作法である。

№38

吸血コウモリの恩返し

中南米に生息するチスイコウモリは、その名の通り、動物の血液を吸って生きている「吸血コウモリ」である。この吸血コウモリは夜行性で、一〇〇匹ほどの群れを作って、洞窟などをねぐらにして暮らしている。

彼らは毎晩、このねぐらから食料となる血液を求めて闇の中に飛び立っていく。吸血コウモリの場合、代謝の速度がとても速いため、四八〜六〇時間以内に食料にありつけないと、すぐに飢え死にしてしまうという弱点を持っている。

研究者の観察によって次のようなことがわかった。すべての吸血コウモリが毎晩食事にありつけるわけではなく、およそ二割の吸血コウモリは食事にありつけず、空腹のまま洞窟に帰ってくる。

驚くべきことに、満腹で返ってきた吸血コウモリは、血液を吐き出して、空腹の仲間にこれを分け与える。しかし、仲間ならば誰にでも血液を分け与えるわけではなくて、過去に食料を分け与えてくれた個体だけを選んで分け与える。要するに、過去に自分を助けてくれた個体に「恩返し」をするのである。

狩猟による捕獲数はその日によって変動する。吸血コウモリの場合も、一日で食べきれないくらいの獲物を手に入れることもあれば、何日も獲物にありつけないこともあるだろう。前者の場合、余った食料を獲物にありつけなかった仲間に貸しておいて、獲物にありつけなかった日にお返ししてもらう――こういう戦略をとることは、自分が生き残る確率を高めることにつながる。

返報性の原理

ここで紹介した話は「返報性の原理」を説明する実例として最適である。「返報性の原理」とは相手から受けた好意や敵意に対して「お返しをしたい」――好意には好意で、敵意には敵意で――と感じる人間の心理である。

たとえば、自分が困っているときに同僚が助けてくれたのなら、「もしも同僚が困っていたら自分が助けてあげよう」と思う。逆に、同僚から嫌なことをされたら、「機会があれば仕返しをしてやる」という気持ちになる。これはごくごく自然の成り行きである。返報性の原理に基づいた交流の積み重ねによって、集団の中に協調的なネットワークが築き上げられていく。

集団の中には詐欺師のような人間――得るばかりでお返しをしない人間が必ず混ざっている。相手を助けることは自分の時間やお金や労力を提供することだから、自分の利得が減少するように思える。

しかし、短期的には利得の減少を伴うかもしれないが、信用という資産が増えることになり、協調的なネットワークの中で自分の地位を高めることになる。

詐欺師のように振る舞うことは、短期的には利得の増加を伴うように思えるが、それは集団の中に敵を作り、信用という資産が減少するので、協調的なネットワークの中で地位を低めることにつながる。

人間は社会的動物である。仕事は他人との関わりの中で実践され、ほとんどの人は日常的に集団の中の一人として仕事にあたる。そういう前提を理解した上で、改めて自分の能力はどこにあるのかを考えてみると、それは自分の中だけにあるわけではなくて、「同僚や上司、部下とどんなつながりを持っているのか」も含めてその人の能力だとわかる。

信頼や好意のつながりがたくさんあれば、その人の能力はもともと持っている能力の何倍も大きいことになる。

逆に、不信や敵意のつながりに囲まれていれば、その人の能力はもともと持っている能力よりも大幅に減じられる。

№39

最後通牒《つうちょう》ゲーム

見ず知らずの二人が「ある実験」のために招集される。お互いのあらゆる情報がわからないように、それぞれが別々の部屋にこもり、画面上の文字だけでコミュニケーションをとることになる。もちろんこの二人は実験終了後にアクセスすることはできない。実験のルールは次の通り。

①研究者はA（提案者）に一〇万円をわたす。Aはその一〇万円をB（応答者）と分け合う。

②AはBに分配する金額を自由に決め、その金額を一度だけBに伝えることができる。

③BはAの提案を「受諾」するか、「拒否」するかのどちらかを選んで回答する。ただし、BはAが一〇万円を受け取ったことを知っている。Aの提案をBが「受諾」した場合、Bはその金額を持ち帰ることができて、Aは一〇万円からBに分けた金額の差額分を持ち帰ることができる。Aの提案をBが「拒否」した場合、両者ともにお金を一円も持ち帰ることはできない。

④二人のうち、どちらが提案者（A）になるか、どちらが応答者（B）になるかは、コインを投げて決められる。

一〇〇組の人間が動員されて実験が実施された。実験の結果はいかに？

自分だけ得しようとすると結局は損をする

どのような結果が得られると予想できるだろうか。経済的な合理性の視点だけから考えた場合、自分の利益を最大化することがベストな選択なので、次のような結論が出そうなものである。

提案者（A）は限りなくゼロに近い金額を提示し、応答者（B）は自分がもらえるお金がゼロでない限りはAの提案をすべて受け入れるという結論だ。自分がAになるのか、Bになるのかはコインを振って決められるのだから運次第なわけだし、仮に自分がBになってしまった場合であっても、一円でも持ち帰ることができればプラスにはなるので、Aの提案を受諾したほうが得である。

しかし、実験の結果はその通りにはならなかった。世界中で実施されたこのゲームの結果、Aからの提案額が三万円（全体の三割）を下回ると交渉は決裂しやすいというデータが出ている。なぜそういうことになるのかを説明しよう。

Bは次のように考える。Aになるか Bになるかは運次第だから、Aはたまたま提案者に振り分けられただけだ。それなのに自分（B）の取り分が相手（A）の取り分に比べてあまりにも少なすぎるのは不公平だ。この不公平感とAに対する怒りの感情から「自分がたとえ一円も受け取れなくても、Aを道連れにしてやる」という考えに至る。

ポイントをまとめよう。あくまで応答者（B）は、たとえ二万円であっても一万円であっても一〇〇円であっても一〇〇円であっても、ゼロ円でない限り、Aの提案を受諾したほうが経済的に合理的である。しかし、応答者（B）は経済的な合理性（＝損得勘定）だけで意思決定をするわけではない。完全に感情によって意思決定をしている。

この研究が教えてくれるのは、自分だけ得をしようと考えている相手の要求は「拒否」したくなる特徴を人間は持っているということだ。**人間は損得勘定を計算する動物であると同時に、感情に振り回される動物でもある。**

№40

邪教徒とお釈迦様

ある時、邪教徒の若者がお釈迦様のところに来て、さんざん悪口を言った。

黙って聞いていたお釈迦様は、彼が悪口を言い終わると、静かに尋ねた。

「お前は、祝日に親族を招待し、食事をふるまうことがあるか？」

「そりゃ、あるさ」

「親族がその時、お前の出した食べ物を口にしなかったらどうするか？」

「食わなかったらテーブルの上に残るだけさ」

「私の前で悪口を言っても、私がそれを受け取らなければ、その悪口は、誰のものになるのか」

「いや、いくら受け取らなくとも、与えた以上は与えたのだ」

「いや、そういうのは与えたとは言えない」

「それなら、どういうのを受け取ったといい、どういうのを受け取らないというのか」

「ののしられたときにののしり返し、怒りには怒りで報い、打たれれば打ち返す。闘いを挑まれれば闘い返す。こういう場合に与えたものを受け取ったというのだ。しかし、その反対に、なんとも思わない場合は、与えたといっ

ても受け取ってはいないのだ」

「それじゃあなたは、いくらののしられても、腹は立たないのか」

釈尊は、おごそかに、偈《うた》で答えられた。

「智恵ある者に怒りなし。よし吹く風荒くとも、心の中に波たたず。怒りに怒りをもって報いるは、げに愚か者のしわざなり」

「私は、ばか者でありました。どうぞ、お許しください」

邪教徒の若者は、落涙平伏し帰順したという。

＊【邪教徒】社会の秩序を害するとされる宗教を信じる者。

知恵ある者に怒りなし

他人から悪口を言われたという事実を、他人から「悪口というもの」を渡されようとしている状況だと考えてみる――そうすると、私たちは悪口を受け取ることもできるし、悪口を受け取らないこともできる。

相手から悪口を受け取るとは、相手に悪口を言い返すことである。要するに、やられたらやり返す振る舞いを意味する。お釈迦様はこれぞ「愚か者」の態度だという。では、悪口を受け取らないのはどういう振る舞いか。それは、その**悪口を「なんとも思わない」**ことである。これぞ「知恵ある者」の態度だとお釈迦様は説明している。

では、悪口を言われてもなんとも思わないようにするにはどうしたらいいのか。お釈迦様はいろいろなところで、〈第一の矢〉と〈第二の矢〉という喩《たと》え話を使っている。

たとえば、道を歩いているときに自分の肩と他人の肩がぶつかってしまい、「痛い！」

と感じたとしよう。この生理現象とも言える痛みの感情が〈第一の矢〉である。これは「知恵のある者」も「愚か者」も同じように受ける。生きている限り、これはしょうがないことだ。

問題は〈第二の矢〉である。「愚か者」は、「痛い！」と瞬間的に感じた後、ぶつかった相手に対して「このやろう！　どこを見て歩いているんだ！」と怒りの感情〈第二の矢〉が沸き起こる。この怒りはさらにエスカレートしていき、「おい、おい……謝りもせずに歩いていきやがった！　許せねえ！」という感情〈第三の矢〉が起こる。放っておくと、この連鎖はどこまでも続いていく。

一方「知恵ある者」は〈第一の矢〉から〈第二の矢〉の回路を遮断することを心がける。「痛い！」と感じた後、身体のダメージを確かめて、必要ならば病院へ行くし、たいしたことがなければ「これ幸い！」ということでぶつかったことを忘れる。

私の好きなことわざに「犬が吠えてもキャラバンは進む」（中東アジア）がある。「犬がいくら吠えようとも、キャラバンの列はまったく気にすることなく、目的地をめざして進んでいく」という意味だ。

ドストエフスキーも「あるトルコの諺《ことわざ》」として次のように書き記している。「もし目的地へ向かって出発しながら、吠えかかってくる犬にいちいち石を投げつけるために、途中でそのたびに立ちどまっていたら、いつまでたっても目的地へ行き着くことはできない」(『作家の日記 2』ちくま学芸文庫)。

要するに、誰かが自分の悪口を言っていたとしても「また犬が吠えている〜」くらいに思って、自分の作業に精を出そうということだ。

一点だけ補足しておこう。お釈迦様の時代とは違って、二一世紀を生きている私たちは「リアルな世界」だけでなく、「バーチャルな世界」でも生きている。後者の世界のほうがそこで流通する悪口の量は圧倒的に多い。

誰かに悪口を渡されようとしても受け取らないこと、すなわち最初に沸き起こった感情が連鎖的に膨れ上がっていく回路を断ち切ることが大事であるのは「リアルな世界」の作法と同じである。

加えて、できるだけ「自分の悪口」に接触するのを避けるという心がけが肝要だ。エゴサーチ——インターネットで自分の名前や関連ワードを検索して自分の評判を調べること——をして、自分の悪口を積極的に拾い集めることは「百害あって一利なし」である。人は匿名になると無責任で凶暴な振る舞いをする。悲しき人間の本性である。

№41

狼と仔《こ》羊《ひつじ》

仔羊が川で水を飲んでいた。

　これを見つけた狼はもっともらしい口実を作ってこいつを食べてやろうと思い、川上から近づいていった。

「おい！　こら！　どうして川の水を濁らせるんだ。おれが水を飲めなくなるじゃないか」

と言いがかりをつけた。

「ぼくはほんの唇の先で飲んでいるだけです。それに、川下にいるぼくが、川上にいるあなたが飲もうとする水を汚すことはできません」と仔羊が言った。

　言いがかりが空振りに終わった狼は、次なる言いがかりを繰り出した。

「しかしお前は、去年、おれの親父に悪態をついたぞ！」

仔羊は「一年前、ぼくはまだ生まれていません」と言い返した。

　頭にきた狼は言った。

「お前がどんなに言い訳上手でも、おれとしては食べないわけにはいかないのだ！」

苦手な人とは距離をとる

川上に仔羊がいて、川下に狼がいたのならともかく、川上に狼がいて、川下に仔羊がいたのだから、この言いがかりは理不尽である。また、仔羊がまだ生まれてもいない時期に仔羊が狼の父親に悪態をついたというのもまた理不尽な言いがかりである。この寓話は、悪事をはたらこうとする者はいつも何かしらの口実を見つけようとするものだと私たちに教えてくれる。悪党がいたら「逃げるが勝ち」である。

悪党が身近にいるという人はまれだろうが、苦手な人が周りにいるのは決して珍しいことではない。

たとえば、自分が属する集団（学校や職場、自治会、親戚など）を思い浮かべたとき、

「苦手な人、気が合う人、どちらでもない人」
「嫌いな人、好きな人、どちらでもない人」
「ずるい人、実直な人、普通の人」はそれぞれどんな割合になるだろうか。もちろん一般

的な割合を出すのには無理がある。ただし、確かなことが一つだけある。それは、苦手な人、嫌いな人、ずるい人は、一定の割合で必ず存在するということだ。

そういう人間とどう付き合うか。**自分の努力によって、苦手な人を気が合う人に変えること、嫌いな人を好きな人に変えることは難しいし、ましてやずるい人を改心させるのは不可能に近い。**したがって、そういう人からは物理的な距離、精神的な距離をとるのが一番だろう。上手に距離をとらないと苦手な人、嫌いな人、ずるい人が憎い奴へと変わってしまう。

第8章

「諦めと敗北」の美学

№42

絞首刑台に向かう男

ある男が死刑を宣告され、二頭の馬に引かれる荷馬車に乗せられた。彼の横には絞首刑の執行人が座っていた。

彼は自分の運命が避けられないものであることを知っていた。彼は馬が一瞬たりとも止まらないことや、荷馬車が絞首刑台のほうに近づいていることを知っていた。

彼の知らないことは、どのくらいでそこに到着するかということだった。一時間後かもしれないし、一日後かもしれない。それ以外のことはすべて明らかだった。

もしそのような運命の男が道ばたで何かおかしなことを目にしたら、それに注意を払うだろうか。

だが、これこそがわれわれすべての者の状況なのだ。

私たちは誰でも彼が死なねばならぬことや、二頭の馬が昼も夜も休まずに走り続けることを知っているが、われわれの誰もが彼の終わりの時が近いのか遠いのかを知らない。

しかし、われわれはみな、それに向かって旅をしていることは確かなのだ。

一人の例外もなく
みんなもうすぐ死ぬ

主人公は死刑を宣告された男である。男は荷馬車に乗せられ、絞首刑台が設置されている場所まで移送されている最中だ。ただし、男はその荷馬車から逃げ出すことはできないし、そこまでどれくらいの時間で到着するかも知らされていない。

すべての人間はこの男と同じ状況に置かれている。私たちは一人の例外もなく、みんなもうすぐ死ぬのである。

もちろん次のような考え方をする人もいる。人間は何度でも生まれ変わることができる。あるいは、死んだとしても天国で永遠に生きることができる。どちらにしても、私たちは永遠に生きることになる。しかし、こういう物語を本気で信じている人は少数だろう。

私が私として永遠に生きられるのならば、私の時間を大切に使おうという思いは湧き上がってこない。

人生の有限性を強く意識すればするほど、時間の価値は高まっていく。

№43

石工《いしく》

あるところに石工が住んでいた。仕事から帰ってきて酒を飲みながらつぶやいた。

「石工ほどつまらぬものはあるまい。こんな馬鹿馬鹿しい仕事はない。同じ人間に生まれているのに、王様は国の主、おれはその日暮らしの石工だ」

こう不平を言いながら徳利《とっくり》を枕にゴロリと横になった。すると長くて白いひげをたくわえた老人が現れて言った。

「石工よ。お前の望み通りにしてやる。この杖をやろう。お前がなりたいものの名を三度唱えて、この杖を三度ふれ」

老人の姿が消えていなくなると同時に、石工は目を覚ました。すると枕元には杖が置かれていた。

さっそく石工は「王様になれ、王様になれ、王様になれ」と唱えて、杖を三回ふった。石工はそのまま寝てしまった。

「王様、王様、王様」

という声で目を覚ました。気がつくと、目を見張るばかりの御殿で寝ていた。たくさんの女官や家来が代わる代わるご機嫌伺いにやってきた。

ある日のこと、広い庭を散歩しながら天を仰ぐと、そこには太陽がさんさんと輝いていた。それはまぶしくて見ることができなかった。

「王様ほど偉いものはないと思ったら、太陽のほうがもっと偉い」

今度は太陽になりたいと思って杖を使った。体がふわーっと浮き上がり、太陽になった。

やがて男は、雲が自分を簡単に隠してしまうことに気づく。

「太陽ほど偉いものはないと思ったら、雲のほうがえらい」

男は雲になりたいと思って杖をふった。男は地球にたくさんの雨を降らせ、何もかも押し流してしまう自分の力に満足した。ところが、ものすごい強い風が吹いてきて、押し流されてしまった。

「雲ほど偉いものはないと思ったら、風のほうが偉い」

男は風になりたいと思って杖をふった。風になった男は、西に東に北へ南へと思うがままに吹いていると、大きな岩にぶつかった。どれだけ強く吹いても岩はびくともしない。

「風よりも岩のほうが強いんだ。今度は岩になれ」

岩になってみると、雲や風のように思い通りに動けやしない。同じ所にこ

びりついたまま、百年でも千年でも居続けなければならない。

ある日のこと、一人の石工が道具を背負って近くにやってきた。道具を使ってコツコツと岩を壊しはじめた。岩は痛くてたまらない。でも人間ではないので「痛い」なんて言葉は出ない。

「岩がもっとも強いと思っていたら、この男のほうがもっと強いんだ。この男になれ！」

石工はもとのあばら屋の中で徳利を枕に寝ていた。

「もう決して余計なことを思うまい。自分はやはり石工がいい」

それからその男は自分の仕事に精を出した。

自分の運命と役割を受け入れる

石工とは、石の切り出し、石の加工、石垣の造営などをする職人で、人類文明の初期から存在する職業の一つである。

簡単に話のおさらいをしておこう。主人公の石工は自分の仕事に不満を覚え、他の職業に憧れの気持ちを持っていた。そこに、長くて白いひげをたくわえた老人が現れて、石工の願いを聞き入れてくれることになる。

最初にこの男が望んだのは王様だった。しかし、この男は願いが叶えられてもその新しい役割に満足せず、またもや他に目が移るようになる。太陽の後に、雲になり、風になり、岩になり、と姿を変えていく。最後にこの男は「石工になりたい」と杖をふり、もともとの自分の役割と境遇を受け入れるのだ。

主人公の石工は、不思議な老人のおかげで、自分の平凡な日常の世界を離れ、自分にとって珍しい非日常の世界に飛び出していった。狭い世界をいったん離れ、広大な世界の中に身を投じ、そこでさまざまな役割を演じる中で、自分という存在を見つめ直す。結局のところ、自分は自分以外のものにはなれないという真理をつかみ、たくさんの人によって繰り広げられる壮大な物語の中に、自分のささやかな物語を位置づけていくに至る。

アラン・B・チネンは童話の主人公の年齢によって、童話を青年童話、中年童話、老年童話に分けている（『大人の心に効く童話セラピー』ハヤカワ・ノンフィクション文庫）。この分類に従えば、ここで紹介した石工の話は中年童話に入るだろう。アラン・B・チネンの考察を参考にしつつ、青年童話と中年童話の違いをまとめてみる。

青年童話と中年童話の最大の違いは「運命との向き合い方」である。ここでの運命とは、人間の意志や選択を超越して、人に幸、不幸を与える力を意味する。

青年童話の主人公は運命と対決しようと奮闘する。自分の時間は無限にあるし、自分の能力も際限なく伸ばしていけるように思う。どんな人生だって実現していくことができるし、自分の人生は自分でかなりの程度コントロールできると確信する。あたかも白いキャンバスに自分の人生の軌跡を思い通りに描けるかのように夢想するのだ。

一方、中年童話の主人公は自分の運命と和解しようとする。心理学者のユングは四〇歳頃を人生の正午と呼んだ。人間の寿命を八〇歳と考えれば、中年期の始まりは人生のピークであると同時に、大きな曲がり角である。四〇歳という年齢は、まだ年寄りではないが、もう若くはないことを自覚する。人生前半の自分の生き方を振り返り、これからの人生について改めて考えてみる時期である。ユングは、中年期の課題として、若さや能力の減少という事実を受け入れ、人生の目標を再検討することを挙げた。青年期とは違って自分に残された時間は無限ではないことがわかるし、自分の能力が限られたものであることを実感する。自分の人生のうち自分でコントロールできることは案外と少ないと気がつく。

川端康成による「母国語の祈祷」（『川端康成全集　第11集』新潮社）と題する短編小説がある。この冒頭に「縄を杖柱として生きている心持」という表現が出てくる。縄とは自分を縛っているものの比喩であり、たとえば生まれ落ちた国や地域、母国語、家族などが挙げられるだろう。要するに自分が選べない運命のようなものだ。人はそういう運命のようなものに「縛られながら」生きていくのだが、若いうちはその縄を解いてできるだけ自由になろうと必死でもがく。しかし、ある年齢になると、自分はその縄に縛られながらもその縄を杖として生きていること、つまりそれに支えられて生きていることに気がつく。縄は私たちを束縛して自由を奪うものだから悪いものだと考えがちである。しかし、**縄は私たちを縛るものであると同時に、私たちを支えてくれる杖なのかもしれない。**

№44

泥の中の亀

荘子が河で釣りをしていると、楚の王が家来を派遣して意向を伝えた。

「我が国の政治をお任せしたいのですが、いかがでしょうか」

荘子は釣竿を握ったまま振り返らずに答えた。

「楚の国には聖なる亀が祭られていて、死んで三千年の間、王家の箱に納められて奉られているそうですね。そこで、お前たちに聞くが、この亀は生きていたとき、死んでからそのように甲羅を残して祭られることを望んでいただろうか。それとも、生ある限り生き延びて、泥の中で尾を引きずって自由に動きまわることを望んでいただろうか」

家来は「それはやはり、生ある限り生きて、泥の中で尾を引きずって自由に動きまわることを望んでいたでしょう」と答えた。

荘子はすぐさま言った。

「お引きとりください。私もまた生ある限り、泥の中で尾を引きずっていたいのです」

＊【荘子】中国、戦国時代の思想家。道家思想の中心人物。儒教の人為的なところを否定し、自然に帰ることを主張した。

儒教的な生き方と道教的な生き方

荘子のような道家の賢者たちは、儒家の人たちとは違って、現実の政治に参画して改革を実行したり、善政を敷いたりすることにはほとんど関心がない。つまり、道家の思想はアウトサイダーの思想であって、政権に参画するインサイダーの思想とは異なるのである。

中国の作家、林語堂《りんごどう》は儒教と道教の違いを次のようにまとめている（『我が中国論抄』黄河）。

儒教の人生観は積極的であり、道家の人生観は消極的なものである。儒教は偉大なる肯定であり、道教は偉大なる否定である。儒教は本質的に都市哲学であり、道教は本質的に田園哲学である。儒教は人類の文化と決まりを弁護し、道教はそれらを否定する。

現代の日本で生きていく場合であっても、儒教的な生き方か、道教的な生き方のいずれかを、意識せずとも選んでいるのではないか。

どちらの人生観を選ぶのかはその人の性格や価値観と関わってくる。また、どちらか一つをすんなり選べる人もいるし、この二つの思想が自分の中で相争う人もいるだろう。

№45

幸運なハンス

七年間の奉公を終えたハンスは主人にこう言った。「郷里のお母さんのところに戻りたいのです。ついては給金をくださいな」。すると、主人はハンスの頭ほどもある金のかたまりをくれた。ハンスは手ぬぐいで金のかたまりをつつみ、それを肩にかついで歩き出した。

しばらくすると、馬に乗った男がハンスの目に入った。「馬に乗ってりゃ、椅子に腰かけてるようなもんだし、石につまずくこともないし、靴も減らないし、それでいて、いつのまにかどんどん進んでいっちまうんだ」。ハンスは金のかたまりと馬を取り替えてもらった。「まったく、なにもかも、おいらの望み通りになっちまう」とハンスは思った。

馬に乗ったハンスは、しばらくすると駆けだした馬から投げ出されて、みその中にころげ落ちてしまった。そんなとき、牝牛を追いたてるお百姓がやってきた。のんびりと歩き、牛乳やチーズが手に入る牛を羨ましく思ったハンスは、馬を牛と取り替えてもらうことにした。ハンスは、ゆったりと牛を追いながら、運のいい取り引きをしたぞと考えた。

ハンスはひどい暑さでのどがかわいたので、牛の乳をしぼろうとしたが、乳は一滴も出てきやしない。おまけに、ぶきっちょなやり方に腹を立てた牛は、後足をあげてハンスの頭を蹴とばしてしまった。

ちょうどその時、手押し車に子ブタをのせた肉屋が通りかかった。ハンスは肉屋に何があったかを話した。肉屋は「この牛は老いぼれで、乳なんか出しやしない。殺されて肉になるくらいがせいぜいだ」と言う。ハンスは「牛肉は脂っ気が足りない、子ブタのほうがいいなあ」と思ったので、肉屋に牛と子ブタとを取り替えてもらった。ハンスは歩きながらつくづく思った。

「まったく、なにもかも、おいらの望み通りになっちまう」

そのうち、白いガチョウをかかえた若者と道連れになった。ハンスはこの若者に「そのブタは村で盗まれたものだ」とおどされた。お人好しのハンスは恐くなって、ブタとガチョウを交換してもらうことにした。

「よくよく考えてみると、この取り替えっこでも、やっぱり得をしているぞ」と、ハンスは独り言を言った。

いよいよおしまいの村を通っている時、手押し車のわきに立って仕事をし

ているはさみ研《と》ぎ屋に出会った。「研ぎ屋ほどお金に困らない仕事はない」という話を聞いたハンスはガチョウを手渡し、代わりに砥石《といし》を受け取った。おまけとして、道端に転がっていた、重たい石も渡された。ハンスはその石をかつぎあげ、ご機嫌で歩いていった。「おいらは福の皮をかぶって生まれたに違いない。まるで日曜生まれの運のいい子みたいに、願ったことはなんでもかんでも、叶っちまうんだ」

　こうして、頭ほどもある金のかたまりは、馬になり、牛になり、ブタになり、ガチョウになり、最後は二つの石になった。ハンスは、心から満足して家に向かう。

　ところが、夜明けから歩き通しの上に重い石をかついでいたので、ハンスは疲れ切っていた。這うようにしてたどりついた泉のそばで水を飲もうと身をかがめた時、うっかり石にさわり石は二つとも泉の中に落ちてしまった。

　ハンスは大声をあげた。「おいらみたいに運のいい人間は、この世の中に、またといないぞ」。重い荷物はさっぱり消え、心が軽くなったハンスは踊るような足取りでお母さんのところに帰っていった。

世間の価値観は絶対ではない

『グリムの昔話 3』（福音館書店）に収められている「幸運なハンス」という話のあらすじを示した。本編は、ドイツ人にもっとも愛されている傑作だと言われている。この話の肝は、ハンスがどんどん貧しくなっていくのに、ハンス自身は交換のたびに喜び、「自分は運がいい」と思うところにある。どの交換も客観的には損をしているのに、主観的には得をしていると思って喜んでいる——そういう不思議さが物語の面白さになっている。

もしこの物々交換の物語が逆向きだったら、一人の男の出世物語になってわかりやすかったであろう。出世物語と聞いて思い出すのは、第6章で取り上げた「わらしべ長者」である。一人の貧乏な男が最初に持っていたわらしべにアブを結びつけたものを「ミカン→布→馬→家と畑」というように物々交換していって最後は大金持ちになる昔話だ。「わらしべ長者」が出世物語であるなら、「幸運なハンス」は零落物語とでも呼べるだろう。両者はまったく逆の話になっている。

ドイツ文学者の相沢博はこの話を「およそメルヘンというものの常識の逆をゆく」話だと位置づけ（『グリムの笑い話』NTT出版）、「反メルヘン」という見出しをつけて紹介している。メルヘンとは、空想と現実が一体となった短い話のことで、主に伝承により流布した民衆文学である。反メルヘンとはどういうものか。相沢の説明に耳を傾けてみよう。

普通のメルヘンというのは、主人公の若者が父の病を治す命の水を求めるとか、魔法にかかっている王女を救出するとか、行方不明になっている兄を探すとかいった大きな任務をおびており、その任務を果たすために、家や故郷を離れて社会へ飛び出していき、その行く先々で、こびとや魔女、超能力を持った動物などの援助を受け、数々の危険をくぐり抜けて最初の目的を遂げる。

「幸運なハンス」の場合は、二つの点で普通のメルヘンとは異なっている。まず、普通のメルヘンが故郷を離れて冒険の旅に出るのに対して、この話は勤め先から郷里の母のもとへ帰ろうとする。向きがまったく逆である。次に、旅の途中でハンスが巡り会うのは、一般の職人や百姓である。普通のメルヘンならば欠かすことのできないこびと、魔女、超能力を持った動物のような存在は登場しない。

さて「幸運なハンス」から、勧善懲悪（善い行いを勧め、悪い行いをこらしめること）的な教訓を読みとろうとするのは難しい。

ハンスは当初、少なくないお金を持っていた。しかし、「五度に及ぶ常識を越えた物々交換」、もっといえば「詐欺まがいの取り引き」（前掲書）によって、最後は一文無しになってしまう。ここで重要なのは、ハンスにとってお金は大事ではなかったという点だ。お金が大事だというのは世間の価値観である。ハンスにとってお金は必要なものではあっても、それほど大事なものではなかった。ハンスにはハンスの価値観があったのだ。

世間の価値観と自分の価値観が合わない人は、世間の価値観が重荷だと感じる。もちろん、世間の価値観の中で楽しく生きていける人もいるので、そういう人はその価値観に従う中で幸せをつかめばいい。しかし、一方で世間の価値観に染まることができず、それに追い詰められて、生きづらさを感じている人も多い。

そういった人は、「世間の価値観」は絶対的な価値ではないこと、つまり、ある時代、ある地域の中で多数を占めている価値観に過ぎないことを知るべきだろう。**世間の価値観がすべてではないこと、世間の価値観とは異なる自分の価値観を大切にして生きていく道もあること**――それはそれで楽しい。そんなことをハンスは教えてくれる。

第9章 リーダー力と大人の知恵

№46

消えた提灯《ちょうちん》

ある盲人が夜、他所へ出ていくのに「ちょっと、提灯をつけてくれないか」と頼んだ。

「お前、目も見えないのに提灯がいるかい？」と聞かれたので
「いや、俺は良いのだがね。目の見える奴が俺にぶつからないように持って行くのだ」と答えた。

「それもそうだね」というわけで、提灯をつけてもらって、杖を振り回しながら歩いていった。

しばらく歩くと一人の威勢のいい男がドンとぶつかってきた。

盲人は「このマヌケ、この提灯が見えないのか」と提灯を突き出した。

ところが、あいにく提灯の火が消えている。

「何を言っている？　消えているじゃないか！」と言われた。

心を他人ではなく自分に向ける

澤木興道（明治から昭和を代表する曹洞宗の僧侶）の『禅談』（大法輪閣）から引いた。澤木はこの話を紹介した後、「消えた提灯を振り回しているようなお父さんの意見は息子さんが聞かないに決まっている。お寺で消えた提灯を振り回して説教しておっても、聴きに来る者がないに決まっている。……マヌケ呼ばわりする前に、自分の提灯が点いているかいないかをみなければならぬ」と書いている。

親が子どもへ、教師が生徒へ、上司が部下へ何かを伝えようとする時、上手くいくケースもあれば上手くいかないケースもある。上手くいかない場合、親や教師、上司は自分のことはさておき、子どもや生徒、部下のせいにしがちである。

相手に向いていた目を今一度、自分のほうに向けてみよう。相手をマヌケ呼ばわりする前に、自分がマヌケでないかを確かめよう。相手の能力や意欲が足りないと愚痴をこぼす前に、自分の技術や意欲、工夫が足りているかどうかを確かめてみよう。

№47

三つの鏡

中国・唐の第二代皇帝の李世民《りせいみん》は太宗《たいそう》と呼ばれ、「貞観《じょうがん》の治」と言われる理想的な統治をした皇帝として有名である。太宗はあるとき家臣たちに語った。

「銅を鏡とすれば、衣服や冠《かんむり》を正しく整えることができる。古《いにしえ》を鏡とすれば、世の興亡を知ることができる。人を鏡とすれば、善悪を明らかにすることができる。私は常にこの三つの鏡を持ち、自分の過ちを防いできた。しかし今、魏徴《ぎちょう》が亡くなって、とうとう一つの鏡をなくしてしまった」

太宗は涙を流して魏徴の死を悼《いた》んだ。そして家臣たちに伝えた。

「これまでは、ただ魏徴だけが常に私の過ちを明らかにしてくれた。彼が亡くなっては、たとえ私に過ちがあってもそれを明らかにしてくれる者はいない。昔だけ非があって、今はすべて正しいということがありえようか。それは、多くの役人たちがむやみに私の言葉に従い、逆鱗《げきりん》に触れるのをはばかっているからであろう。……今後、各自がその誠意を尽くせ。もし、私に悪い点があれば、はばからずに直言して隠すことがないように」

外観、歴史、他人の意見

帝王学の最高傑作として有名な『貞観政要《じょうがんせいよう》』から引いた。太宗は統治にあたって、自分が専横政治に陥らないように、自分の過失や欠点を指摘してくれる側近を何人も置いた。その側近の一人が魏徴だった。太宗は統治上のあらゆることを彼に相談し、遠慮のない意見を求め、結果として素晴らしい善政を敷いたと言われる。ところが、ある日、魏徴が病で倒れてしまう。そのことを嘆き悲しむ太宗の様子とその時の言葉がこの話に表現されている。三つの鏡について簡単に説明しよう。

①銅の鏡：これは私たちが日常的に使っている「普通の鏡」のこと。鏡に自分を映し、身だしなみを整え、元気で明るく楽しい顔をしているかどうかをチェックする。

②古の鏡：これは「歴史の鏡」と言い換えればわかりやすい。将来がどうなるかは誰にもよくわからないものだ。しかし、過去の事例をたくさん勉強しておけば、今の状況と

照らし合わせながら将来を類推することができる。

③人の鏡：「あなたは間違っています」と直言してくれる人をそばに置く必要がある。そういう部下がいないと、上司は自分の本当の姿を見ることができない。自分に不愉快なことを言ってくれる人を遠ざけていると、周りはごますり人間とイエスマンだらけになる。

「歴史の鏡」と「人の鏡」について、もう少し詳しく見ていこう。

ドイツ初代宰相、ビスマルクは「愚者は経験から学び、賢者は歴史から学ぶ」という言葉を残している。愚かな人は自分の経験したことからしか学ばない。それに対して、賢者は他人の経験、すなわち歴史上の人物の生き方から学んで、自分の生き方に活かしていく。そういう意味の言葉である。

経験を積むことが大事なのか、知識を獲得することが大事なのかという議論がある。もちろん自分の経験から何かを学んで生きていくことは大事なことである。しかし、個人が経験できることはあまりにも狭く、特殊で、偏っているのが常である。また、自分の経験を広げていく、経験を積み重ねていくのにはそれ相応の時間がかかる。人生が無限ならそれでも構わないが、人生の時間は限られている。私たち個人の経験は狭く、私たちの人生は短い。それゆえに他人の経験――成功談や失敗談――を学ぶ必要が出てくる。

付け加えたいのは、知識のあるなしで経験の質が異なってくるということだ。第1章の「ヘレン・ケラーの逸話」で書いたように、植物に関心がない人が森の中を散歩するのと、植物学者が森の中を散歩するのでは時間の密度がまったく異なってくる。時間の密度が異なるというのは、経験の質が異なるということだ。

リーダーが道を誤らないためには「人の鏡」が大切である――これはわかったとしても、部下が上司にその過失や欠点を指摘するなんてそうとうに勇気のいることだ。普通の人は二の足を踏んでしまう。諫諍《かんそう》する側と諫諍される側に信頼関係ができていなければ上手くいかない。また、時と場所を選ぶ必要もあるだろう。

多くの人は上司と部下に挟まれて仕事をしている。ということは、目上の人に諫諍する立場であると同時に、部下から諫諍を受ける立場にあるということだ。**諫諍を受け入れるだけの柔軟性や、自分の間違いを認めるだけの度量があるかどうかが問われる**ということである。

№48

老《ろう》錬《れん》金《きん》術《じゅつ》師《し》の知恵

昔々、一人の老父が美しい娘と暮らしていた。娘はハンサムな青年と恋に落ち、二人は老父に祝福されて結婚した。

幸せに暮らしていた夫婦には一つだけ問題があった。夫がありふれた金属を金に変えようとする錬金術に夢中になっていたのだ。まもなく、財産はなくなり、二人は毎日の食べ物を買うのにも苦労するようになった。

妻は夫に「仕事を見つけてください」と迫った。しかし、夫は「もう少しで成功するところまで来ている。成功さえすれば、とてつもない金持ちになれるんだぞ！」と言い返した。そんなことが続いた。

とうとう若い妻は父親に悩みを打ち明けることにした。父親は婿が錬金術に夢中になっていることに驚いた。父親は「なんとかしよう」と娘に言い、翌日、婿に会うことにした。青年は叱責されることを恐れ、義理の父のもとに行くのを渋った。しかし、顔を合わせた義父は意外にもこう打ち明けた。

「じつは若い頃、私も錬金術師をめざしていたんだよ」

老人は青年にあれこれ質問をして、二人は時間を忘れて錬金術について語り合って過ごした。

老人は興奮で体を震わせて言った。

「君はわしがやったことを、ことごとく達成しているじゃないか！　まさにあと一歩で成功というところまで来ている。ただし、ありふれた物質を金に変えるには、もう一つの成分が必要だ。わしはつい最近、その秘密を発見したんだ」

老人は言葉を切って、ため息をついた。

「しかし、わしは年寄りだから、それを実行することはできない。かなりきつい仕事なんでな」

「ぼくならできますよ、おとうさん！」と青年は言った。

老人は目を輝かせ言った。

「ああ、君ならできるだろうね」

そして青年に顔を近づけてささやいた。

「必要な成分とは、バナナの葉につく銀色の粉なんだ。この粉を手に入れるには、君が自らの手でバナナを植えて、魔法の呪文を唱えなければいけない」

青年が「どのくらいの粉が必要なんですか？」と聞くと「一キロだ」と老

人は答えた。

「だとすると、何百本ものバナナを植える必要がありますね」

五年後、ついに青年は魔法の粉を一キロ集めることができた。彼は義理の父の家に飛んでいった。

「ついに魔法の粉を一キロ集めましたよ」

「すばらしい！」と老人は叫んで続けた。

「では、ありふれた金属を金に変える方法を教えてやろう。女房をここに連れてきなさい。彼女の助けが必要だからな」


娘が来ると老父は尋ねた。

「夫がバナナの粉を集めている間、おまえは実をどうしていたんだね？」

「もちろん市場で売りましたよ。そのお金を生活費にしてたんです」

「いくらか金を貯めたかね？」

「ええ」と娘は答えた。

「見せてもらえるか」

老人の言葉を聞いた娘は急いで家に戻って、いくつかの袋を持ってきた。

老人がその袋を開けると、そこには金貨がどっさり詰まっていて、床にざくざくとこぼれ落ちた。老人は土を一つかみとって金貨の横に置いた。そして青年に語りかけた。

「ごらん。君はただの土を金貨に変えたんだ！」

あっけにとられた青年は少しの間、黙り込んだ。それから、老人の策略とそこに含まれていた知恵に気づき、げらげらと笑い出した。

知恵にあふれた助言

最初に錬金術について解説しておこう。錬金術とは「ありふれた金属を貴金属の金に変えようとする化学技術」である。古代エジプトや古代ギリシャが起源とされる錬金術は、紀元前のエジプトからイスラム世界に伝わり発展していったと言われている。こういう意味から発展して「ありふれたもの、値打ちのないものを貴重なものに作り変える術」という意味も持つようになった。

この民話を要約すると、老賢人が義理の息子の野心を別の方向へそらすために知恵を使い、若者の夢のような事業を現実的な事業へと転換させた話ということになろうか。主題は「若者の夢と大人はどう付き合うか」である。「若者の夢」と聞くと、一昔前のＣＭ（大分むぎ焼酎二階堂「砂丘の図書館」篇）で流れたフレーズを思い出す。

「夢を持て」とはげまされ、「夢を見るな」と笑われる。

ふくらんで、やぶれて、近づいて、遠ざかって……。

今日も夢の中で目を覚ます。

一人の若者が大人に自分の将来像を語る場面をイメージしてみよう。あまりにも現実的な将来像を話してしまえば「若いのに夢のないことを言ってるんじゃない！」と説教されるかもしれない。ところが、夢いっぱいの将来像を話すと「お前は小学生か？　夢みたいなことを言ってるんじゃない！」と一喝されるかもしれない。夢の語り方は難しい。

では、若者が語る夢に年上の大人はどのように対処すればよいのだろうか。ここで取り上げた民話は一つのヒントを与えてくれる。アラン・B・チネンは、老賢人がどのように偉かったかを次のように書いている（『熟年のための童話セラピー』ハヤカワ・ノンフィクション文庫）。

老人はありふれた物質を金に変えるという若者の夢をけなしたり、その企てを禁じたりはしなかった。それは夢を持つことが若者の活力の源であることを理解しているからだろう。そうした夢には社会をよりよい方向に変革していくこと、宇宙の真理を明らかにすること、社会的地位や富、名声を得ることなどが含まれるし、錬金術もそういう類いにはいるものだろう。もしも若者からこういう野心を奪ってしまえば、残るのは無気力や無関心、あるいは謀反だろう。この話のように老人が若者の夢を認めてやれば、若者はどんなに単調で辛い仕事でも耐えることができるだろう。老人は賢明にも娘婿の情熱を阻止するのではなく、そらしたのである。老人は若者の野心を操縦した。つまり、若者の理想主義を大人の実用主義へと変える、本物の錬金術なのである。

この老人の賢さは、第一に若者と同じ土俵に立って語り始めたという点である。「じつは若い頃、私も錬金術師をめざしていたんだよ」という告白は娘婿をさぞかし喜ばせたであろう。初対面での会話は共通点から入るのは鉄則である。「子ども叱るな、いつか来た道、年寄り笑うな、いつか行く道」という標語があるが、これをもじれば「若者をバカにするな、自分もいつか来た道」である。

第二に若者に具体的な行動を起こさせる助言を与えたことだ。その夢を実現できるかどうかは別にして、夢の実現に向けて具体的な行動を日々、積み重ねていくことが大事である。もちろんこの助言に嘘が紛れ込んでいたのは事実である。しかし、それはご愛敬である。

ろう。上手な嘘も知恵の中に含まれるからだ。

中年期以降の課題は、他人への利他的な配慮、とりわけ次世代の人々への利他的な配慮を開発することである――心理学者のエリクソンはそう結論づけており、彼はそれを世代性（次世代育成性）と呼んだ（『エピソードでつかむ　生涯発達心理学』岡本祐子、深瀬裕子編著、ミネルヴァ書房）。世代性とは、次の世代を育てていくことに関心を持つ態度である。子どもを育てることや部下を育てることだけでなく、社会的な業績を挙げること、知的創造や芸術的創造もこの中に含まれる。次世代の人々への利他的な配慮をおざなりにして自分自身にしか関心が持てない状況に陥ると、その人は人格の停滞を起こし、深刻な危機に直面する。人間は本来、自分以外の人や生き物、ものごとに力を注ぎ、その世話をするようにできているのだ。

№49

山の上の火

アルハという名の貧しい若者がハプトムという金持ちと賭けをした。

「スルタ山の一番高い峰の上で一晩中はだかで立っていられたら、家と牛とヤギをつけて四〇ヘクタールの畑をやる」という賭けであった。

アルハは峰の上にびゅんびゅんと吹きつける冷たい風を見ながら、とっても心細くなった。そこで物知りじいさんに相談することにした。黙ってアルハの話を聞いていたじいさんはこう言った。

「手伝ってやろう。スルタ山から谷を隔てて反対側に高い岩がある。お日さまが沈んだら、その岩の上で火を燃してやろう。お前の立っているところから、その火がよく見えるはずじゃ。お前は一晩中、わしの燃やす火を見とるんだよ。目をつぶったらいけない。火を見つめながら、暖かい火のことを考えるんじゃ。それから、お前のために火を燃やし続ける、このわしがいることを考えるんじゃ。そうすればの、夜風がどんなに冷たかろうが、お前は大丈夫だ」

アルハは、じいさんから教えられたとおり、向かいの山に見える炎の暖かさを思い、一晩の試練に耐え抜くことができた。

若者を見守る眼差し

精神科医の青木省三が『思春期　こころのいる場所』（岩波書店）で紹介している民話だ。青木は「青年とそれを支える人の関係」について考える上でこの民話はとても示唆に富むと述べている。どのような点で示唆に富むのかを私の解釈も交えて説明しよう。

人は多種多様なつながりによって生きている存在である。しかし、同時に一人ひとりの人間は独立した存在でもある。だから、人は自分の力で自分の人生を歩いていかなければならず、自分の人生を他の人が代わりに生きることはできない。

親のもとから自立して社会の中に出ていくとき、周りの人にできることは、心配しながら見守ることだけである。ただし、自分を見守っている人がいるという事実が本人に大きな力を与えるのも確かなことである。

この民話で、遠くの山の上の火の暖かさは決して青年には伝わりはしないが、山の上でたき火をする人の温かい思いは伝わるのだ。

№50

二つの贈り物

ヒンズー教では、赤ちゃんが誕生した日に神がその運命をその子の額に書くという「言い伝え」がある。

信心深い一人の男が娘を授かった。彼は女の子が生まれた日に、神から二つの贈り物をもらった。一つはその予言を読むことができる〈眼鏡〉、もう一つはそれを書き換えられる〈鉛筆〉である。

男は〈眼鏡〉をかけてリスト読んだ。そこにはこう書かれていた。

九歳：親友ががんで死んでしまう。
一八歳：クラスでトップの成績で高校を卒業する。
二〇歳：飲酒運転による車の事故で左足を切断する。
二四歳：未婚の母となる。
二九歳：結婚する。
三二歳：小説を出版し、成功する。
三三歳：離婚する。

などなど……。男は〈鉛筆〉に手を伸ばした。

逆境の効用

もしもあなたがこの男だったら、いくつかの出来事を書き換えたくなるかもしれない。しかし、「鉛筆」の使い方には注意が必要だ。「子どもにとって良いこと」だと思ってすることが、転じて「子どもにとって悪いこと」を引き起こすこともある。大きな逆境や挫折をすべて消し去ってしまうことが、子どもをか弱い存在のままにしておくこと、未発達なままにしておくことになりかねないのだ。

「親の甘いは子に毒薬」ということわざがある。「親が子どもを甘やかすことが子どもにとっては毒になる」という意味だ。親に甘やかされて育った子どもは、苦労を経験することなく育つので、自らの苦い経験から学ぶという大切な機会を失うことになる。

親と子の関係を上司と部下、師匠と弟子という関係に広げて考えてもいい。**限界を超えない程度の逆境や挫折、危機は人間が成長していくためには必要であり、その最中にいか**

に苦しみもがこうともそれはその人に大きな恩恵を与えてくれる――ジョナサン・ハイトが主張する「逆境仮説」である（『しあわせ仮説』新曜社）。彼の記述内容を参照しながら三つの恩恵についてまとめてみよう。

一つ目の恩恵は内省の機会、すなわち自分の考え方や行動について深く省みる機会を得られることだ。成功から学べることは少なく、失敗から学べることは多いと言われる。同様に、順境のときに学べることは少なく、逆境のときに学べることは多い。内省によって価値観の大転換が起きることもあるだろう。

二つ目の恩恵は、自分の中に隠れていた能力が呼び覚まされ、「自分とは何者か？」という自己概念が向上することである。「火事場の馬鹿力」ということわざを思い出そう。困難を切り抜けよう、困難を乗り越えようとするとき、それまで自分の中に眠っていた力がどこからともなく湧いてくるという意味である。「自分は思っていた以上に強い」という確信、「自分の中にはこんな能力が眠っていたのか」という気づきは、それ以降の人生を生きていく上での大きな武器になる。

三つ目の恩恵は、人間関係に関することで、逆境は本当の友人とただの友人を選別するフィルターの役割を果たしてくれるということだ。友人はたくさんいるが、本当の友人がいるかどうかと問われれば「うーん」と考えてしまう人も多いのではないか。では、本当の友人とは何なのか。心理学者の河合隼雄は「夜中の一二時に、自動車のトランクに死体を入れて持ってきて、どうしようかと言ったとき、黙って話に乗ってくれる人」(『大人の友情』朝日文庫)が本当の友人だと書いている。ユング派の分析家アドルフ・グッゲンビュールの言葉だという。

ここで一つの疑問が湧いてくる。確かに、逆境や挫折を経験することで「重要な教訓」を得て、それによってより強い人間、より良い人間になるということは理解できる。しかし、なぜ、親が子どもに、上司が部下に、師匠が弟子にそういう教訓を口頭で教えることができないのだろうか。逆境や挫折のような代償を払わなくても、子どもや部下や弟子が恩恵を受けられるような方法が他にないのだろうか。

その答えは、人生におけるもっとも「重要な教訓」は他人から教わることができないということである。**ある程度の時間をかけて、自分の経験によって身につけていくことでしか「重要な教訓」は獲得できない**のだ。

どうやら「重要な教訓」は二種類あるようだ。知識に類別される教訓と、知恵に類別される教訓である。辞書的な意味を確認すれば、知識はある事柄について知っている内容、知恵は知識を活かして物事を正しく判断し的確に処理する能力となる。知識は「それを知っていること」、知恵は「どのように行動するかを知っていること」とも表現できる。他人から知識を受け取ることはできる。しかし、他人から知恵を受け取ることはできない。知恵は自得するもの、つまり自分の経験を通じて技術や思想を身につけることなのだ。

知識と知恵の違いは「夜盗の術」（七四頁）で紹介した、言語知と暗黙知の概念とも関係してくる。知識は言語知であり、知恵は言語知と暗黙知の両方からなっている。知恵は「経験を通じて」獲得されるところが肝だ。ほとんどすべての場合、知恵あるものは老人である。成功から得るものは少なく、失敗から得るものは多い。失敗の程度も大事だ。骨身にこたえるような苦難が望ましく、骨身を削るような努力のほうが得るものが多い。

第10章

りっぱな思想より月並みな格言

№51

ウサギとライオン王

ライオン王はある日、自分が話をするとみんなが後ろに下がることに気がついた。

ひょっとして自分の息が臭いのかなと思ったライオン王は、ジャッカルをそばに呼んで聞いた。

「ジャッカルよ、もしかして、わしの息は臭いのか？ 正直に答えるがよい」

ジャッカルは、王様の息が臭くて臭くて死にそうな思いをしていた。だから、正直に答えた。

「はい。王様の息はとても臭いです」

「そうか……」

ライオン王は前足でジャッカルを殴りつけ、殺してしまった。

次にライオン王はキツネのほうを向いて言った。

「キツネよ、ここへ来るのじゃ。正直に答えるがよい。わしの息は臭いか？」

ジャッカルがどうなったのかを見ていたキツネはすぐに答えた。

「とんでもございません、王様。王様の息は、花が咲き誇る野原のような、かぐわしい匂いがいたします」

キツネがお世辞を言っているのは明らかだった。ライオン王は、キツネをにらみつけた。そして「嘘つきは許せん！」と叫び、またもや大きな前足で殴りつけた。キツネは死んでしまった。

次にライオン王はウサギのほうを向いて言った。

「ウサギよ。こっちへ来い。そなたなら信頼できる。さあ、わしに本当のことを言うがよい。わしの息は臭いか、臭くないか？」

ウサギは震え上がった。ウサギはジャッカルとキツネがどうなったかをしっかりと見ていた。しばらくの間、考えてからウサギは答えた。

「王様……、申し訳ございませんが、今日はひどい風邪を引いております。なので、まったく匂いをかぐことができません。ですから、その件に関しましてはお答えできません」

嘘も方便《ほうべん》

ジャッカルはライオンの「正直に答えるがいい」という言葉をそのまま受け取り、正直に答えた。その結果、ライオンに殺されてしまった。

それを見ていたキツネは下手な嘘をついた。見え透いた、とってつけたような、歯の浮くような、白々しいお世辞だったという意味で下手な嘘だった。その結果、キツネはライオンに殺されてしまった。

ジャッカルとキツネの顛末《てんまつ》を見ていたウサギは上手な嘘をついた。ウサギが風邪を引いているためにまったく臭いがしないというのは嘘だろう。しかし、臭いがするかしないかは本人以外にはわからないという意味で上手な嘘だった。その結果、ウサギは生き延びることができた。

この寓話から得られる教訓はどういうことか。**正直であることがいつも自分に良い結果をもたらすとは限らないこと、そして我が身を守るために上手な嘘をつかなければならな**

い場合もあるということだ。

誰しも子どもの頃、嘘をつくことは悪いことだと教わる。「嘘つきは泥棒の始まり」ということわざを思い出そう。「嘘をつくことが悪いことだと思わなくなると、そのうち平気で嘘をつくようになる。そうすると、やがて盗みなどの悪事も平気でやってのけるようになる」という意味である。

「嘘は世の宝」（嘘をつくこともときには大切である）、「嘘つき世渡り上手」（世渡り上手には嘘が上手い人が多い）、「嘘をつかねば仏になれぬ」（仏様でも人を救うために嘘をつくこともある。だから、人間も他人のためについた嘘は良い）、「嘘も追従も世渡り」（上手く世の中を渡っていくには、嘘やお世辞を言うことも必要である）など、嘘の効用を説くことわざは実に多い。

個人の嘘はともかくとして、為政者の嘘はどこまで許されるか。評論家の加藤周一は政府を三つに分けて論じている（『夕陽妄語　VI』朝日新聞社）。

一つ目はみだりに嘘をつかない政府。天下国家の安泰のためにはこういう政府が必要だという。二つ目は、むやみに嘘をつくが、自らはそれを信じない政府である。三つ目はむやみに嘘をつき、その嘘を自らが信じこみ、それを他人に押しつけようとする政府である。

二つ目の政府は現実判断がまあ妥当であるのに対して、三つ目の政府の現実判断は妥当性を欠くからたちが悪い。なぜならば、現実判断が自らの嘘に強く影響されるからだ。

「第一の政府は民主主義的、第二の政府は非民主主義的・現実的で、第三の政府は非現実的・狂信的といえるかもしれない」と述べている。

戦争において為政者は国民に必ず嘘をつく。現代人は昔のように何でもかんでも信じてしまうわけではない。しかし、為政者のプロパガンダは実に巧妙である。大義名分の裏に隠されている欲望を見破る知性を持ちたいものだ。

№52

ソロモンの忠告

昔々、商店の経営者が妻と三人の息子と暮らしていた。ある朝のこと、その男が店に行くと、死体が戸口の前にころがっていた。殺人の罪を着せられることを恐れた男はそのまま行方をくらますことにした。

商人は何日も旅をして、ソロモンと呼ばれる賢人の召使いとして働くことになった。賢人のもとには彼の忠告を聞こうと遠くからたくさんの人が訪ねてきた。

商人は一生懸命働き、一度たりとも給金を請求しなかった。それから二〇年の歳月が流れたある日、望郷の念がつのった男は、ソロモンに暇《いとま》を申し出た。ソロモンは承知し、商人にこれまでの給金として三〇〇枚の銀貨を渡した。

出発の日、ソロモンは商人に言った。「私の忠告を求めてたくさんの人が遠方からやってくる。それなのにお前は何も聞かずに出て行くのかね？」

商人はソロモンに通常の料金を支払い、三つの助言をもらうことにした。ソロモンは三〇〇枚の銀貨を受け取ると「新しい道のために古い道を捨ててはならない」「他人のことに口を出してはならない」「怒りを爆発させるのは翌日まで待ちなさい」と言った。男は「たったそれだけですか？　それだけのために銀貨を三〇〇枚も支払ってしまった」と嘆いた。「だからこそ、お前はそれを忘れまい」。ソロモンは笑った。商人が出発しようとすると、ソロモンは商人にパンケーキを手渡して言った。「家族と再会するまで割ってはならない」

家に向かう途中、商人は旅人の一行と出会った。彼らは「私たちと一緒に行きませんか」と商人を誘った。商人は「新しい道のために古い道を捨ててはならない」という忠告を思い出した。それで、相手の申し出を断り、最初の予定通りの道を進むことにした。

しばらくすると、遠くで銃声と歓声と悲鳴が聞こえた。先ほどの旅人の一行が山賊に襲われて、どうやら皆殺しにされたようだ。「ありがたや、ソロモンの忠告！」と彼は叫んだ。

あたりが暗くなりはじめたとき、商人はぽつんと建つ小屋を見つけた。彼はドアをノックして泊めてほしいと頼んだ。やせこけた男が中に入れてくれ、夕食の用意をしてくれた。二人は無言のまま食事をとった。しばらくすると、その男が地下室のドアを開けた。すると、盲目の女が現れた。男はどこから か出してきた頭蓋骨にスープをそそぐと、スプーン代わりの細いアシ（イネ科の植物）を女に渡した。哀れな女が食事を終えると、男はまた女を地下室に閉じ込めた。

「なあ、客人」。男は商人に尋ねた。「今のをどう思う？」

商人は「他人のことに口を出してはならない」という忠告を思い出し、「あなたのすることには、それなりの理由があるに違いない」と答えた。

家の主は陰気な笑いを浮かべた。

「ああ、そうとも。あの女は俺の女房なんだ。あいつが別の男と懇《ねんご》ろになったもんだから、俺は二人を捕まえ、男のほうは殺した。スープの入っていた頭蓋骨は男のものだし、スプーンはあいつの目をくりぬくのに使ったアシさ。なあ、客人。この話をどう思う？」。執念深い男は尋ねた。

商人は大きく息を吸いこみ、大声で言った。「あなたが正しいと考えているなら、正しいことに違いないよ」

殺人者は「けっこう」と答え、続けた。「俺が間違っているって言うやつは、これまで一人残らず殺してきたんだ」

ありがたや、ソロモンの忠告！　商人は心の中でつぶやいた。

翌朝、商人は急いで小屋を立ち去り、夜になる頃には家に到着した。窓から家の中をのぞくと、妻がハンサムな男と抱き合っていた。頭に血が上った商人は拳銃を引き抜いた。まさに、妻と若い男を撃とうとしたとき、ソロモンの最後の忠告を思い出した。「怒りを爆発させるのは翌日まで待ちなさい」。そこで男は拳銃をしまって、向かいにある家へと走っていった。「あの家には誰が住んでいるんですか？」男はわが家を指さした。

隣人はにっこりしながら言った。「女の人が住んでいます。今夜はお祝いをしているはずよ。一番下の息子さんが今日、司祭に任命されたんです。だから、家族全員が顔をそろえているんですよ」

「ありがたや、ソロモンの忠告！」。商人は叫んだ。「もう少しで、自分の妻と息子を撃つところだった」と言いながら、男は急いで家まで走っていき、ドアをノックした。妻は一目で夫だとわかったようで二人は抱き合った。家族全員が彼の帰宅を喜んだ。夕食の席につくと、商人はパンケーキを取り出した。そしてナイフを入れると、中から、三〇〇枚の銀貨が転がり出てきた。

常識を馬鹿にすることなかれ

男がソロモンから受け取った忠告は「新しい道のために古い道を捨ててはならない」「他人のことに口を出してはならない」「怒りを爆発させるのは翌日まで待ちなさい」という非常にありふれたものだった。主人公はきっと、二〇年分の給金を渡すのだからさぞや深遠で有り難みのある忠告を授けてもらえると思っていただろう。ところが、ソロモンの口から出たのは、どこにでも転がっているような言葉だった。

主人公は、家を離れる時点で三人の息子がいたこと、二〇年間にわたってソロモンの家で働いていたことから考えるに、その年齢は四〇代半ばから五〇代半ばくらいであろう。主人公はもはや青年ではなく中年であり、間もなく老境にさしかかる年齢だった。そこに注意を払いながら、これらの忠告が持っている意味合いをとらえなければいけない。

では、三つの忠告について考察していこう。以下の考察はアラン・B・チネンの論述（『大人の心に効く童話セラピー』ハヤカワ・ノンフィクション文庫）に負っているところが大きい。

一つ目の忠告は「新しい道のために古い道を捨ててはならない」というものだった。少年期や青年期の人間にとって、道はほとんどすべて「新しい道」である。だから、「古い道」を捨てて「新しい道」を選ぶという選択肢はあまりない。

一方で、仕事や結婚という経験を積んだ人にとっては自分の後ろにしっかりとした道ができているので、今まで自分が歩いてきた「古い道」を捨てて「新しい道」を選ぶという選択肢が浮上してくる。こういう点から考えるに、この助言はこれまで従事してきた仕事を捨てて新しい仕事に変わること、今の配偶者と別れて新しいパートナーと結婚することへの警告と解釈することもできる。

この物語を最後まで読んでみると、この男は拳銃を持っていたことがわかる。拳銃を所持していたのなら、山賊に襲われている旅人一行を助けにいかないのは臆病な態度にも思える。主人公が若者ならば、危険を顧みることなく即座に駆けつけただろう。

しかし、中年の主人公には自分の命を危険にさらしてまでも他人の命を助けようという気持ちはなかった。それは無謀な賭け、命知らずの冒険に思えたからだ。主人公はすぐさまその場を離れ、予定通りの道を進むことにした。「新しい道のために古い道を捨ててはならない」という忠告に従ったのだ。

二つ目の忠告は「他人のことに口を出してはならない」という言葉だった。目をえぐった妻を地下室に閉じ込め、妻の浮気相手の頭蓋骨で食事をさせていた場面を思い出してほしい。主人公は、こういうおぞましい状況に遭遇しても、他人のしたこと、他人のしていることには口を挟まないことを徹底している。他人の行動に道徳的な判断を下すことに極めて慎重であり、同時に自分の言動で他人の振る舞いを変えられないことを確信していたからだ。

「他人のことに口を出してはならない」という忠告には、悪に対する二つの態度が隠れている。第一に、悪と対決することを避け、悪から遠ざかる態度である。この態度は物語の冒頭に記されている出来事とそれに対する反応――ある朝、主人公が店に行くと戸口の前に死体がころがっていた。殺人の罪を着せられることを恐れた男はそのまま行方をくらますことにした――にも符合する。

第二に、悪への寛容さである。若者は得てして自分の中に潜んでいる悪の要素を認めようとしないが、歳を重ねるにつれて自分の中に潜んでいる悪の要素を認めるようになる。

悪いことをするにはその人なりの理由があるに違いない。自分だってその男の立場だったら、同じようなことをしている可能性がある。だから、悪い奴に意見をするなんておこがましいように感じてしまうのだ。

三つ目の忠告は「怒りを爆発させるのは翌日まで待ちなさい」という言葉だった。この言葉を思い出したことで、主人公は自分の妻と息子を撃たずにすんだ。

主人公の商人と、商人を泊めてくれた男が対比的に描かれていることに注意しよう。どちらも自分の妻が別の男性の腕の中にいるのを見てしまったのだが、一方は怒りをコントロールすることができ、もう一方は怒りをコントロールできなかった。商人は瞬間的に沸き上がってきた怒りの感情をすぐに爆発させなかった。状況を理解するために、隣人の家を訪ねて真実を確かめたのだ。

この昔話は、少年少女に理想的な生き方や人間のあるべき姿を教える道徳的な訓話ではなく、「どうすれば平穏に暮らせるか」「いかにすれば生き延びられるか」という通俗的な処世術を示す話である。三つの忠告をより抽象度を上げて、この話から読み取れる処世術のポイントをまとめておこう。

一つ目は自分の力が及ぶことと、自分の力が及ばないことを仕分けること。他人の悪は正せないが、自分の中の悪をコントロールすることはできる。二つ目は、ほとんどすべてのことは相対的であること。人によって、ものの見方や考え方は違ってくる。「何が良いことで何が悪いことか」は年齢や地域、時代によっても異なる。

三つ目は〝距離〟をとって自分の置かれた状況を眺めることの重要性。重大な決断を迫られたときは、**他者の意見を聞いたり（空間的な距離）、すぐに結論を出さずにじっくりと考えたり（時間的な距離）することが、より良く生きる可能性を高めてくれる。**

評論家の小林秀雄は主義より常識、理屈より実感を尊んだという。主義はどうしても硬直化しがちで融通が利かない。それに比べて、常識には幅があり、柔軟性を持っている。自分の主義主張や正論を振りかざす人よりも、人間としての常識が確立されている人のほうが信用できる。

理屈が通っていないと非難される場合がある。しかし、同時にどんな理屈でもつけられるのも事実であり、ものごとはどのようにも解釈でき、それによっていかなる行動にもつながる可能性があることを歴史は教えてくれる。理屈を勇ましく強弁する人よりも、穏やかな表情で自分の実感を控えめに語る人のほうが信頼できる。

№53

余《よ》桃《とう》の罪

衛《えい》の国一番の美少年であった弥子瑕《びしか》は、衛の君主の寵愛を受けていた。

ある夜中、母が病気になったという知らせを受けた弥子瑕は、君主の許可を受けたと偽って勝手に君主の馬車を使って母のもとに駆けつけた。本来であれば、君主の馬車を勝手に使った者は足切りの刑に処される。

しかし、この話を聞いた君主は、「母を思うあまり、足切りの刑を忘れてしまうとは、なんと親孝行な者ではないか」と言ってその罪を赦《ゆる》し、かえってこれを褒めた。

またある時、弥子瑕は君主と果樹園に遊びに行った。桃がとても美味しかったので、半分食べた桃を君主に手渡した。

「美味しいものは誰でも全部食べたいものだ。だが、それを私に食べさせたいと思うとは、なんと私を思う心の篤《あつ》いことか」と、またこれを褒めた。

こんな弥子瑕であっても次第に容色は衰えていった。それにつれて君主の寵愛《ちょうあい》も失われていった。こうなってしまうと、かつては賞賛の対象であった行いの数々も、違った目で眺められるようになる。君主は言う。

「この者は以前、私の馬車を勝手に乗り回し、自分の食いかけの桃を私に食べさせるという無礼をはたらいたことがあった、けしからん者だ」

主君の寵愛は気まぐれ

「余桃の罪」の「余桃」は「食べ残しの桃」の意味である。話は前半と後半に分けられる。前半では、規則を破って勝手に君主の馬車を使ったり、食べかけの桃を君主に与えたりする行為は称賛の対象となった。後半では、君主の寵愛を失ってしまったがゆえに、まったく同じ行為が非難の対象に変わってしまった。

この話は私たちに主君の寵愛は気まぐれで当てにはならないことを教えてくれる。また、他者への対応は「その人の行いが正しいか間違っているか」ではなく「その人が好きか嫌いか」で決定されがちだという人間心理について教えてくれる話とも読める。

主君と家臣を上司と部下に置き換えて考えてみよう。上司からの自分への評価が徐々に変わっていくことがある。社会情勢や組織の状況が変化すれば、上司の立場、考え方、感じ方も変化していくからである。「評価が変わるのはおかしい」と考えるよりも「なぜ評価が変わったのか」を考える方が生産的である。

№54

カーライルの助言

思想家として名高いトーマス・カーライルの家を一人の婦人が訪ねた。

「先生、私は家庭のことや人生のことでいろいろと悩んでおります。どうにかして私の悩みを解決する道はないものでしょうか？」

婦人はそう言って、その悩みの数々をカーライルに打ち明けた。カーライルは婦人の打ち明け話を最後まで聞いて、こう答えた。

「まず自分の裁縫箱を調べなさい。乱れた糸があったら糸巻きにきちんと巻くことです。次にタンスの中を調べて、取り散らかっていたら中を整理することです。私が申し上げられるのは、それだけです」

婦人は首を捻《ひね》ったが、何か深い意味があるに違いないと思って帰宅した。

一週間後、先の婦人がカーライルの家をまた訪ねてきた。

「先日は誠にありがとうございました。帰りまして、裁縫箱を調べましたら、乱雑になっていましたのでさっそく整理しました。次にタンスの中も整理しました。気がついたら、家中の整理をしていました。そうこうしているうちに、先生のおっしゃりたいことがわかってきました。〈人生は整理されたものでなければならない〉――そういうことですね」

カーライルはにっこりと笑ってうなずいた。

整《せい》理《り》整《せい》頓《とん》が仕事の半分

トーマス・カーライル（一七九五～一八八一年）はイギリス（大英帝国）の歴史家、思想家である。作家の夏目漱石はロンドンに留学したおり、カーライルの居宅跡を開放している記念館を四回も訪れ、帰国後に紀行文『カーライル博物館』を書いている。また、小説『吾輩は猫である』にもカーライルの名前が出てくる。登場人物の一人がカーライルと同じ「胃弱」であることを自慢したのに対して「カーライルが胃弱だって、胃弱の病人が必ずカーライルにはなれないさ」と友人に言い返される描写がある。

さて、この話のポイントは、大きくて複雑な事柄（家庭や人生のこと）と小さくて単純なもの（裁縫箱）を対比した点にあろう。彼が言いたかったのは「一事が万事」（一つの小さな事柄の具合が他のすべてのことに現れる）なので、まずは一つの小さな所から手をつけなさいということだ。

裁縫箱やタンス、部屋などが整理整頓されているかどうかは、その家の住人の心の中が整理整頓されているかどうかに対応する。もう少し言えば、家の中がきれいな人は心の中もきれいであるということだ。

ドイツには「整理整頓は人生の半分である」という格言がある（『心を整える』長谷部誠著、幻冬舎文庫）。これをもじれば「整理整頓は仕事の半分である」と言えるだろう。机の上や引き出しの中を整理整頓している人は仕事ができる人である。また、パソコンのデスクトップ（起動後に表示される基本画面）がすっきりしている人、フォルダやファイルが一定のルールに基づいて階層分けされ、適切な名前がついている人は仕事のできる人であるのは間違いない。目的のデータに素早くアクセスできる点で効率性が高く、データを紛失するなどのミスも防止できるからだ。

№55

鋳物《いもの》師と盤珪《ばんけい》禅師

江戸時代前期の禅僧、盤珪禅師の逸話である。

ある時、信者の鋳物師が盤珪禅師のところへ相談に来た。

「自分の作った鍋や釜は、一〇のうち八つは穴があいています。それを自分は無傷だと言って売りつけています。心苦しくてなりません。やはり悪いことをしているのでしょうか？」

「それは、お前だけがしていることか？」

「いいえ、世間の鋳物師はみな同じようなことをしております」

「夜中に売っているのか？」

「いいえ、真昼間に売っています」

「買い手も目があるのだから、まあいいだろう。傷物を無傷だと言って夜中に売るのであれば問題になるかもしれん。だが、真昼間のことだから、買い手も傷を見つけたら買わないであろう。あまり心配することはなかろう」

仕事に完璧を求めるな

この鋳物師は「傷物を無傷だと言って夜中に売る」あこぎなことはやっていない。その点では商売人としての最低限のモラルは守っている。

ちなみに、江戸時代の鋳造技術では溶けた鉄を型に流し込む際にムラが生じやすく、できあがった製品に空隙が入りがちで、使用中はもちろんのこと使用前であってもひび割れによってよく穴が開いたという。穴が開いたからといって釜や鍋が使えないわけではない。鋳掛屋《いかけや》（鍋や釜などの鋳物製品の修理・修繕を行う職業）に頼めばいいだけのことだ。したがって、まったく使い物にならない商品を売りつけているわけではないことに注意したい。

私はこの話から「**仕事に完璧を求めないこと**」という教訓を読み取った。仕事に完璧を求める人は、完成形のイメージが高すぎるために取りかかるのに時間がかかる。また、やっとのことで仕事に手をつけたものの完成するのに時間がかかりすぎる。結局のところ、期限ギリギリだったり、締め切りに遅れたりする。さらに、完璧主義ではない人――良い加減で仕事を進める人や上手に手を抜く人――が許せず、そういう人との間に軋轢が生まれがちである。

№56

子どもと泥棒の教え

ある時、弟子が尊師に、立派な人間になるための特別な方法を教えてくれるように求めた。「教える必要はありませんよ」と尊師は答えた。そして「どんな子どもや泥棒からも学べるからです」と続けた。

「何ですって、子どもから学べるのですか?」と仰天した弟子は尋ねた。

「三つの仕方で」と尊師は答えた。「第一に、子どもは幸福である理由を必要としません。第二は、子どもはいつも忙しくしています。そして第三に、子どもは何かを欲しがれば、手に入れるまで泣き叫びます」

「それじゃ、何を泥棒から学ぶことができるのでしょうか?」と弟子は尋ねた。「泥棒からは……」と尊師は答え、続けた。

「七つのことを学べます。第一に、昼間だけでなく夜も仕事に専念していること。第二に、最初に成功しなくても、もう一度挑戦すること。第三に、仲間を大切にしていること。第四に、たとえ小さなことであっても自分の命を賭けていること。第五に、自分の手にしたものにあまり価値をおかず、わずかな生活費のためにそれを売っていること。第六に、困難だからとか難しいからとかいって、延期しないこと。そして第七は、ひとかどの者になろうなどと思わずに、自分が自分であることに満足していることです」

自分以外はすべて師

この寓話の教訓は「我以外皆我師也」ということになろうか。**人でも物でもみんな自分に何かを教えてくれる先生**だという意味である。

子どもから学ぶべきことを確認してみよう。一つ目の「子どもは、幸福である理由を必要としません」とはどういう意味か。別の言い方をすると、大人は幸福である理由を必要とするということになる。

子どもは大人のようにうじうじと考えない。大人は理想と現実のギャップに悩んだり、将来の不安に押しつぶされそうになったり、過去を思い出して後悔したり、自分と他人を比較したりする。そういったいろいろなことをもとに、果たして自分は幸福なのかどうかを判断しようとする。仏教でいうところの妄想状態が大人の常態になる。

そもそも子どもは自分が幸福か不幸かをあまり考えない。生きていること自体が幸福である――そういうことを動物的な勘で知っているのではないか。犬や猫はこの「今」に生きており、そこに生き物としての自然な幸福を感じる。子どもも同様である。

二つ目の「子どもはいつも忙しくしています」はどういう意味か。言い換えれば、子どもは退屈しないで生きているということだろう。子どもは何事も当たり前だとは思わない。世界はつねに新鮮であり、驚きに満ちている。歳を重ねるにつれて、新鮮さは薄まり、驚きはどこかに消えていく。

三つ目の「子どもは何かを欲しがれば、手に入れるまで泣き叫びます」はどういう意味か。誰でも一度くらい、デパートやスーパーで床に寝転び、駄々をこねている子どもを見かけたことがあるだろう。行儀の善し悪しは別にして、大人から見るとあの熱情はすごい。歳をとるにつれて、そういう熱情はしぼんでいく。


泥棒については説明の必要はないだろう。七つの理由すべてが「なるほど!」と思える。私たちは自分が持っている本来の能力を発揮できたときに幸福を感じる。一番不幸なのは力を持っているのに力を使うことができない状態である。だから、自分の持っている力を悪事に使ってしまう人も出てくる。できれば、自分の能力を悪事ではなく、善事に使いたい。自分の良い人生は良い社会につながっている。

第11章

人生一〇〇年時代と老い

№57

一〇〇歳まで生きる方法

ある時、お金持ちの老人が、良寛和尚（一七五七〜一八三一年）のもとを訪れ、神妙な顔で尋ねた。

「私は今、八〇歳です。お金は十分にあるし、もう何をしたいということもありません。ただ、一つだけ自分の力ではどうしても叶わぬことがあります。何としても一〇〇歳まで生きていたいのです。何か良い工夫があったら教えていただきたい」

良寛和尚は「何かと思えばたやすいご用だ」とにこにこしながら答えた。

そして「もう一〇〇歳まで生きたと思いなさい。そうすれば一〇〇歳まで生きたことになるのだ。そう思って一日生きれば、一日儲《もう》かったことになる。こんなうまい話はない」と言って大きな声で笑った。

老人は自分の欲の深さを悟り、その日その日を楽しく、有意義に送るようになった。

未来のために今を犠牲にしない

お金持ちの老人にとって、一〇〇歳まで生きることが最大の目標だった。したがって、その目標が達成できるのならば、どんなに好きなことでも我慢するし、逆にどんなに嫌なことでもするという気持ちだったのだろう。

良寛和尚から「もう一〇〇歳まで生きたと思いなさい」と諭された老人は、自分の最大の目標が達成されたのだから「一〇〇歳まで何としても生きるんだ！」という囚われから自由になった。それは「未来のために今を犠牲にする」という姿勢から「今を生きる」という姿勢への転換だった。長寿は目的ではなく結果だということを教えてくれる話である。

高齢者を健康かどうか、幸福かどうかという二つの視点で四つに分類してみよう。そうすると、「健康で幸福な人」「健康だけど不幸な人」「不健康だけど幸福な人」「不健康で不幸な人」に分けられる。健康のために人生があるわけではない。人生のために健康があるのだ。**健康はそれ自体が目的ではなく、良い人生、楽しい人生を送るための条件なのだ。**

歳を重ねるにつれ、時間が過ぎるのが速くなった――これは誰もが感じることだろう。本当にあっという間に一年が過ぎ、二年が過ぎ、三年が過ぎていくことに愕然とするときがある。

思い返してみると、子ども時代は初めて体験することばかりで、新しい出会いや発見が毎日のようにあった。もう少し大きくなって大学に入って間もない頃、就職して間もない頃は、新しい環境に飛びこんでいく中で新鮮な経験が次々と待ち構えていた。しかし、環境が変わって一年くらいが過ぎると様子もだんだんわかってきて、気持ちが落ち着いてくると同時に、生活がマンネリ化してくる。そうなると、次第に時間の流れが速くなっていったように思う。

要するに、大人になると時間があっという間に過ぎ去ると感じるのは、日々の生活に新鮮味がなくなるからだろう。体感時間の長さは、思い出すことができる記憶の量に比例しているのかもしれない。では、少しでも時間の流れを遅くするためにはどうしたらいいのか。努めて、新しいことにチャレンジすることだろう。**人は未経験の何かにトライしているときは、強い感情が湧き上がっており、それが意識に強く残り、時間が長く感じるようだ。**

№58

ルービンシュタインの逸話

アルトゥール・ルービンシュタイン（一八八七〜一九八二年）は、ポーランド出身のピアニストである。

卓越した技術もさることながら、レパートリーの広さでも抜きん出ており、リサイタルではさまざまな曲を弾きこなすことで知られていた。

そんな彼も高齢になるにつれて、若いときと同じレベルで演奏することが難しくなっていった。そこで彼はある戦略を実行した。

まずコンサートで演奏する曲を厳選することにした。曲を絞り込むことによって、若いときよりも一つの曲に時間をかけて繰り返し練習できるようになった。

さらに、彼は若い頃にはしていなかった手法を取り入れることにした。速い手の動きが求められる部分の前の演奏をこれまでよりも遅くすることで演奏にコントラストを生みだし、速い部分をより印象づける手法である。

ルービンシュタインは、八〇歳を過ぎても素晴らしい演奏活動を続けたことで知られ、八九歳まで現役で活躍した。

目標の選択、資源の最適化、補償

ここで紹介した逸話は、SOC理論（Selective Optimization with Compensation：選択最適化補償理論）を説明するための事例としてしばしば使われるものだ。

人は歳をとるにつれて、様々な機能が低下し、若い頃なら難なくできていたことが、だんだんとできなくなっていく。では、歳を重ねていく中で体力や筋力が衰えても、これまで通り、楽しく有意義な人生を送っていくにはどうしたらいいのだろうか。そこで役に立つのがSOC理論である。簡単に解説していこう。

私たち人間は年齢を問わず、何らかの目標を定め、それに向かって生きている。目標は大きなものから、日常的な小さなものまでさまざまである。そういう目標が達成できれば嬉しいし、逆に目標が達成できなければ落ち込むことになる。つまり、張り合いのある毎日を送るには、その人なりの目標を持って、それを達成することが重要なのだ。

目標を達成する一連の過程は、①目標の選択（Selection）、②資源の最適化（Optimization）、③補償（Compensation）の三つの要素に分けられる。ルービンシュタインの逸話を重ねながら、①目標の選択、②資源の最適化、③補償について説明しよう。

①目標の選択：目標を絞り込んだり、目標を切り替えたりすること。ルービンシュタインの場合は加齢に伴って今まで通りに演奏することが難しくなったため、曲目を減らすという戦略をとった。

②資源の最適化：自分の所有する資源（お金や時間、能力、体力、意欲など）をどのように使えば自分の目標が達成できるかを熟慮すること。ルービンシュタインは厳選した曲（①）を繰り返し練習しつつ、新しい手法（③）の習熟に努めた。

③補償：他者からの支援を受けること、機械や道具を使って心身の機能の衰えを補うこと、これまで試していなかった手法を導入すること。ルービンシュタインの場合はテンポに変化をつけることで速さを際立たせる手法を取り入れた。

若い頃のように動けないことをただ嘆いていても仕方がない。**目標を切り替えること、自分の所有する資源の使い方を見直すこと、他者や器具の助けを借りることで、張り合いのある生活を送ること**は十分に可能である。

No59

女神エオスの恋物語

あけぼのの女神であるエオスは、ある日、ティノトスという若くて美しい青年に恋をした。やがて二人は毎日のように逢瀬《おうせ》を重ねるようになった。しかし、一つ大きな問題があった。エオスは神なので不老不死なのに対し、ティノトスは人間なのでいつか老いて死ぬ運命にあることだ。「この若くて美しい青年といつまでも恋人同士でいたい」と考えたエオスは、最高神のゼウスに「ティノトスに永遠の命を与えてほしい」と懇願した。この願いが叶い、二人は永遠に毎日会うことができるようになった。

ところが、時間が経過するにつれてティノトスに大きな変化が訪れた。かつての若くて美しい身体は皺《しわ》がよってやせ衰え、声もかすれていった。ゼウスに対してエオスは「不死」を望んだものの「不老」は望まなかったため、ティノトスは普通の人間と同じように老いていく運命にあったのだ。

やがてティノトスは自分で動くこともできなくなり、我が身の醜態に耐えきれず「死にたい」と願うようになった。しかし、ゼウスから永遠の命を得たティノトスは死ぬことも叶わなかった。見かねたエオスは彼を部屋に閉じ込めて鍵をかけてしまった。ティノトスは部屋の奥から声だけを出すようになり、最後は干からびて蝉になってしまった。

簡単には死ねない時代

永遠の命（＝不死）をゼウスに願ったものの、同時に不老を願わなかったために、身体が蝉のようにどんどんしなびてしまい、それでも死ぬことができなかったというギリシア神話である。「人生一〇〇年時代」を象徴するような話にも思える。

二一世紀に生まれた人間の半数は、一〇〇歳まで生きると言われている。「人生一〇〇年時代」の到来は誠にめでたいことである。しかし、その反面、昔のようにあっさり死ねない時代、簡単には死ねない時代になったということだ。こういう時代に生まれ、生きて、老いていくことは幸運なのか、不幸なのか。

そもそも老化とは何か。『生物はなぜ死ぬのか』（小林武彦著、講談社現代新書）からかいつまんで説明しよう。

老化は細胞レベルで起こる不可逆的、つまり後戻りできない「生理現象」である。具体的には細胞の機能が徐々に低下し、分裂しなくなる現象を意味する。細胞の機能が低下したり、異常が起きたりすると、がんをはじめとするさまざまな病気を引き起こす。これを避けるため、生物は進化の過程において老化の仕組みを獲得して細胞の入れ替えを可能にした。進化が生き物を作ったとすれば、老化もまた、ヒトが長い歴史の中で「生きるために獲得してきたもの」と言えるのだ。

細胞の老化には、活性酸素や変異の蓄積により異常をきたしそうな細胞をあらかじめ排除し、新しい細胞と入れ替えるという非常に重要なはたらきがある。このはたらきによって若い時のがん化はかなり抑えられるが、それでも五五歳くらいが限界であり、その頃からゲノムの傷の蓄積量が限界値を超え始める。異常な細胞の発生数が急増し、それを抑える機能を超え始めるのである。そこからは病気との闘いになる。別の言い方をすれば、進化で獲得した想定（五五歳）をはるかに超えて、ヒト（生物としての人間）は長生きになってしまったのである。

まとめよう。進化が生き物を作ったことに立ち返ってみると、老化という性質を獲得した個体が選択されて生き残ってきたと考えられる。つまり、**老化はヒトが長い進化の歴史の中で生き延びるために獲得してきた性質**なのである。

№60

祖死父死子死孫死

あるとき禅僧の仙崖《せんがい》（一七五〇～一八三七年）は、何かめでたい言葉を書いてくれと頼まれた。

仙崖は「ああ、よしよし」と筆をとった。そして、いきなり「祖死父死子死孫死」の八文字を書いて与えた。

頼んだ人はこれを見て顔をしかめた。おめでたい言葉を期待したのに「死」が四度も繰り返されている。

「いくらなんでも、これはひどすぎます」

「いいや、これがめでたいのじゃ。いいか、まず爺さんが死んで、それから父が死ぬ。そして、子どもが死んで、そのあとで孫が死ぬ。この順番で人が死ねるほど幸福なことはない。この順番がちょっと狂ってみなされ。親より先に子どもが死んだら親はどれだけ悲しまねばならぬか……。そこのところをよく考えてみなされ」

順縁は幸いなこと

年長である親が、若年である子に先んじて死ぬというのが自然の順序である。これに反して、子が親より先に死んだ場合、年長であるその親が自分の子の冥福を願って供養することになる。これを逆縁と呼ぶ。

昔ならば「親が一〇〇歳、子が七五歳」という家庭はほとんどなかった。子が七五歳であれば親はすでに亡くなっていたからだ。しかし、今は平均寿命が延びて「親が一〇〇歳、子が七五歳」という家庭はそれほど珍しい存在ではない。

こういう話を聞いたことがある。一〇〇歳で自立した生活を送っている男性に中年のヘルパーが「お元気そうで何よりです。長生きできて良いですね。うらやましいです！」と声をかけた。そうしたら「うーん。友達はもうみんな死んでしまったしなあ。妻も、一人息子も先に死んでしまった。長生きっていうのはそんなに良いことばかりでもないよ」と返されたという話である。

第12章

生きる力と死ぬ能力

№61

石とバナナの木

昔々、石とバナナの木が「人間はどのようにあるべきか」について激しい言い争いをしていた。

石は言った。「人間は石と同じ外見を持ち、石のように硬くなければならない。人間はただ右半分だけで、手も足も目も耳も一つだけでよい。そして不死であるべきだ」

これを聞いていたバナナの木は次のように言い返した。「人間はバナナのようであるべきだ。手も足も目も耳も二つずつ持ち、バナナのように子を生まなければならない」

言い争いはエスカレートしていった。やがて、怒った石がバナナの木に飛びかかって打ち砕いた。しかし、次の日には、バナナの木の子どもたちが同じ場所に生えてきて、その中の一番上の子どもが親と同じように石と言い争いをした。

こういうことが何度も何度も繰り返された末に、新しいバナナの木の一番

上の子どもが、断崖の縁に生えて、石に向かって叫んだ。

「この争いは、どちらかが勝つまで終わらないぞ」

怒った石はバナナの木に飛びかかった。しかし、狙いが外れ、石は深い谷底に落ちてしまった。バナナの木の子どもたちは大喜びして言った。「そこから上がってくることはできないだろう。われわれの勝ちだ」

すると石は言った。

「いいだろう。人間はバナナのようになるがいい。だが、その代わりに、バナナのように死なねばならぬぞ」

＊【バナナ】バナナはバショウ科の常緑多年草であって、木ではない。バナナが実っている木の幹のように見える部分は草でいう「茎」にあたる。ここでは原典通り、木という表記のままにしてある。

死は多細胞生物の逃れられない運命である

「バナナ型」と呼ばれる起源神話の一つである。「バナナ型」の神話は東南アジアやニューギニアを中心に見られ、死や寿命の長さが主題となる。細かい点に違いはあるものの、おおよそ次のような話である。

人間は神様から「石になるか、バナナになるか」を選ぶように言われる。硬くて変質しにくい石は不老不死の象徴的存在であり、脆《もろ》くて腐りやすいバナナは生き物を代表する存在である。バナナを選んだ人間は——バナナは子株ができると親株は枯れてしまうように——死ぬ運命を得たのである。

人間は石ではなくてバナナを選んだので死ぬようになった——これは神話的な説明である。では、生物学的な説明はどうなるのだろうか。『やがて消えゆく我が身なら』(池田清彦著、角川ソフィア文庫)を参考に見ていこう。

すべての生物は死ぬのだから人もまた死ぬのは当然のことである——こういう答えがまずは考えられる。しかし、これは必ずしも正しくない。すべての生物は死ぬとは言えないからだ。

たとえば、原生生物であるバクテリアは原則的に死なない。もちろん、敵に食べられたり、エサがなくなったり、高温や乾燥に長期間さらされたりすれば死んでしまう。原則的に死なないとは、細胞分裂を繰り返すことによって、無限に〝自己〟を複製していくので、老化しないし、死にもしないという意味だ。ただし、細胞分裂によって複製される〝自己〟は、もとの〝自己〟とまったく同じであり、自己と異なる個体を生み出すことはできない。

では、多細胞生物である人間の場合はどうなるか。多細胞生物は、有性生殖によって自己の遺伝子と他者の遺伝子を組み合わせ、自己とは異なる個体を増やしていく。そのことによって、単細胞生物の時代にはなかった自己の死がもたらされた。

多細胞生物の細胞分裂では、撚《よ》り合わさっていた二本の染色体が分かれ、それぞれがコピーを作り、再び二本ずつ撚り合わさるという過程を経る。この二本の染色体が再び撚り合わされるときに、それぞれの染色体の末端にあるテロメアという部分が必要になってくる。このテロメアは分裂のたびに少しずつ短くなって、ついには消滅して細胞分裂の寿命は尽きる。

もちろん、細胞老化のメカニズムはテロメアだけで説明できるわけではなく、まだまだ不明な点は多い。ただ、人の細胞では分裂のたびにテロメアが短くなり、ある程度以下の長さになると老化を誘導するのは確かなことである。

テロメアがなくなる分裂回数は種によってほぼ決まっている。人間は五〇回、マウスは一〇回、ウサギは二〇回であり、ガラパゴスゾウガメは一〇〇回を超えるという。それに伴って寿命も決まってくるので、人間は一二〇年、マウスは三年、ウサギは一〇年、ガラパゴスゾウガメは二〇〇年が寿命の限界となる。種によって寿命の長い、短いはあるものの、多細胞生物の個体は死を免れられないということだ。多細胞生物は原生生物から進化してきた。前者は死すべきもの、後者は不死なるものだとすれば、**死とは進化によって獲得された能力**であろう。

アポトーシスという現象について説明しよう。アポトーシスとは、細胞自体にあらかじめ組み込まれている細胞死のプログラムである。これは生物が死すべき運命を手に入れたことと引き換えに獲得した能力である。

多細胞生物の複雑な形を形成するのにはアポトーシスが関与している。たとえば、手の指は手のひらから生えてきたのではなく、指と指の間のいわば水かきの部分がアポトーシスで死ぬことによって形成されたものだ。また、脳の神経ネットワークは、まず過剰に神経が作られた後、アポトーシスで適度に死ぬことによって機能的なものとなる。要するに、アポトーシスは多細胞生物が生きるために必要不可欠なアイテムなのだ。アポトーシスを獲得しなければ、多細胞生物といえども細胞のかたまり以上のものにはなれなかったのである。

もしも、多細胞生物の個体が不老不死だったらどうなるか。地球上のほとんどすべての資源はもはや不老不死の生物に収奪されつくし、私たちが生まれて育つのに必要な資源はもはや存在していなかったろう。加えて、個体が不老不死ならばわざわざ子どもを作って生命をつないでいく意味がない。

すなわち、私たちが今ここに存在するのは、多細胞生物が不老不死ではないおかげなのだ。人間なら誰だって死にたくはない。しかし、死が多細胞生物として逃れられない運命なのだから受け入れるしかないのである。

№62

死にたくない男

昔々、莫大な資産を相続して安楽に暮らしている億万長者の男がいた。ある日、この男の頭に恐ろしい考えが浮かんだ。「わたしもいつかは死んでしまうんだ。永遠に生きていたい！」。その日から、彼は心穏やかではいられなくなった。

彼はある寺を訪ね、六日間、如来《にょらい》に祈りを捧げた。七日目の夜、内陣《ないじん》の扉が勢いよく開き、まばゆい光を放ちながら如来が現れた。男は如来に必死で訴えた。

「わたしはどうしても死にたくないんです！」

如来はしばらく考えてから、折り鶴を取り出して億万長者に渡した。

「この鶴がお前を誰も死なない土地に連れていってくれるだろう」

如来が姿を消すやいなや、鶴がぐんぐん大きくなりはじめた。億万長者が鶴の背中によじ登ると、鶴は宙に舞い上がり、大海原の上をどこまでも、どこまでも飛び続けた。

どれくらいの時間が経過したのだろうか。さびれた海岸が見えてきた。鶴

が浜辺に下り立つと、男は鶴の背中から下りて、一番近い集落まで走っていった。

「ここはどういう国ですか？」。男は最初に出会った男に聞いた。

「永遠の命の国ですよ」

答えを聞いた億万長者は大喜びした。その見知らぬ人はたいそう親切で、男に仕事と家を見つけてくれた。

新しい生活が落ち着いてくると、男はそこで暮らす人たちがひどく風変わりなことに気がついた。彼らは毒キノコを食べ、毒蛇と仲良く遊んでいる。年寄りに見えるように、髪を白く染めていた。男は「なんでそんなことをするのか？」と聞いてまわった。

「死にたいからですよ！　永遠に生きることに飽き飽きしたよ」。これを聞いた男は首をふりながら「わたしは絶対に死にたくないね」とひとりごちた。

しかし、何十年も、何百年も、何千年も経つと、さすがに男も人生に飽きてきた。同じことの繰り返しに堪えきれなくなってきたのだ。

「こんな人生はいやだ。もとの自分の国に戻って、ありふれた男として暮ら

し、寿命が尽きたら普通に死にたいものだ」

その時、いい考えを思いついた。「如来様がわたしをここに連れてきてくれたのだから、また如来様にお願いすれば、死ぬことのできるふるさとに帰してくれるだろう」

億万長者が祈りを唱えると、何かが彼のたもとからこぼれた。それは古い折り鶴だった。目の前でその鶴はどんどん大きくなった。男が鶴につかまると、鶴は空高く飛び立った。

海の上を飛んでいる時、嵐に襲われた。紙製の鶴の羽はヨレヨレになり、男は海に落ちてしまった。「助けてくれ！　おぼれる！」と男は大声で叫び、海の中でもがいた。男はサメが近くで泳いでいるのに気がついた。「助けてくれ！　死にたくない！」。男は必死で如来に祈った。次の瞬間、男は山奥の寺の床に横たわり、声を限りに助けを求めている自分に気がついた。

内陣の扉が開き、目もくらむばかりの光が室内を満たすと、神々しい姿が奥から現れた。

「わたしは如来の使者である。如来はおまえを夢の中で永遠の命の国に送った。それは、おまえが不老不死を望んだからだ。ところが、おまえは死を願うようになった。そこで今度はおまえを試すために嵐とサメを与えた。しかし、おまえは命乞いをするばかりだった。おまえには忍耐強さも信念もない」

使者は一冊の本を取り出して男に渡した。

「おまえは家族のいる家に戻りなさい。そして、自分の運命に満足しなさい。如来はおまえにこの知恵の本を授けてくださった。ここに書いてある忠告に従って生きていきなさい。一生懸命に働き、子どもたちを立派に育て、子どもや孫の未来のためになることを行い、隣人を助けなさい。そうすれば、もはや死を恐れる気持ちはなくなるだろう」

その言葉とともに、使者の姿は消えた。

男は知恵の本を携えて家に帰った。それから後は、この本の助言に従って毎日を過ごした。彼は善良で正直な人生を送り、ついに寿命が尽きたときは、唇に微笑みをたたえて天に召されていった。

不死の世界がもしも存在したら

不死を「永遠に続く生の苦しみ」あるいは「死による終わりがない苦しみ」と解釈し、それに警鐘を鳴らすことで不死願望を戒める昔話は数多い。ここで紹介したのもそういう類いの話である。

億万長者の男は永遠の命が与えられる国に行くチャンスをもらう。最初、彼はここでの生活に満足する。しかし、次第に終わりのない生活、変化のない生活にうんざりし、ありふれた死を渇望するようになる。そうして彼は真実を知るに至る。人生の途上で味わう喜び、楽しさ、刺激、感動は「人生は無限ではなく有限である」という時間意識が基礎づけていることに。しかも、死は重荷からの解放と安息を与えてくれる。

ここでは、主人公の属性に注目しよう。主人公は貧乏人ではなくお金持ちであり、若者ではなく中高年であり、女性ではなく男性である。これは偶然そうなっているわけではなく、お金持ちの中高年の男性が主人公であることにはそれなりの必然性がある。
なぜ主人公は貧乏人ではなく金持ちなのか。不死願望は現世で味わっている快楽の数々を未来永劫にわたって享受したいという欲望から生まれてくる。国の支配者である帝王——秦の始皇帝や漢の武帝が熱狂的に不老不死を求めていたのは有名な史実である——が持つ願望である。苦しい生活を強いられていた庶民が「この生活よ、永遠なれ！」と思うはずはない。

次に、なぜ主人公は若者ではなくて中高年なのか。若者にとっての死はどこかドラマティックな色合いを帯びており、ロマンティックな香りが漂っているものだ。彼ら彼女らは愛、真実、栄光、正義のためなら喜んで死に接近していく道を選ぶ。
若者のほとんどは近親者の死を経験していないこともあって、死はまだ他人事であり、抽象的な概念でしかない。一方、近親者の死を経験していることの多い中高年の場合、死は抽象的な概念ではなく具体的な事実であり、それはじわりじわりと自分に近づいてくる、避けがたい現実である。

最後に、なぜ主人公は女性ではなくて男性なのか。特に近代以前の女性は出産ごとに命を危険にさらしてきた。若い時に「死ぬかもしれない」という恐怖心と闘い、決死の覚悟を決めた経験を有しているので、物語であらためて死すべき運命を思い出させる必要はないのだ。

また、男性よりも女性のほうが死に対する恐怖や不安についてあけっぴろげな傾向が強い。かたや男性は死への不安や恐怖の感情に蓋をしがちだ。そういう感情をおおっぴらに表現する男は「弱虫」と非難されてきた。物語は、男性が無意識の中に閉じ込めている問題を取り上げているのである。

さらに、女性の多くは子どもを産み育てる過程で、下の世代と強力なつながりを持つことができる。心理学者のエリクソンが言うところの世代性（次世代育成性）を発揮することは、避けがたい死に対する不安や恐怖を和らげる役目を果たす。昔はもっぱら、男性は家の外で食べ物を調達したり、お金を稼いだりする役割を担っていたために、女性に比べて下の世代と直接に関わる機会は少なかった。したがって、男たちは死すべき運命を前にして悪戦苦闘していたのだ。

永遠の命が与えられる国に「一期一会」という四字熟語は存在しない。一期一会とは、茶道の心得に由来する言葉で、人との出会いや機会は二度と繰り返されることがなくて、一生で一度きりだと思いそれを大切にすべきであるという考えのことだ。「一期一会」の反対語は「一生に何度も起こること」のような表現になってしまうため、それに該当する四字熟語は存在しないが、あえて表現するのであれば「日常茶飯事」ということになるだろう。

人生には楽しいこともあれば、苦しいこともある。苦しいことが永遠に続くのは勘弁してほしいと思うのは自然な感情だ。そこから、死は安息であり、重荷からの解放であるという真理が導き出される。

一方、楽しいことが何度も何度も起きるのは望ましいことだと思うかもしれない。しかし、最初に感じた楽しいという感情は回数を重ねるごとに色あせていくし、それが永遠に続くとしたらその価値はゼロに近づいていくだろう。**人生の楽しさ、喜び、面白さは「人生が永遠には続かない」と知っていることが前提**になっている。

ここで取り上げた昔話は、もしも不死が実現したら、自分の心持ちはどうなるかという視点から作られた物語である。少しばかり視点を変えて「もしも不死が実現したらその社会はどうなるのか」ということを想像してみよう。

ひろさちやは、人生を列車の旅に喩《たと》えている（『仏教とっておきの話366　春の巻』

新潮社）。

この列車は老いと死に向かって走っている。列車は各駅停車で、駅に着くたびに人が乗ってくる。私の座席に新しく乗ってきた人が座る。誰かが降りないと新しい乗客が乗ってこられない。私がこの列車の乗客になれたのはご先祖様たちが降りてくださったからである。自分の死は誰かの生を生み出す。だから、死は布施《ふせ》である。こういう喩《たと》え話だ。

布施というと「お寺や神社にお金を布施する」のように使われることが多い。しかし、布施の原語「ダーナ」には「自分の大切なモノを提供する」という意味がある。

地球上で暮らせる人間の数には限界がある。よって、自分の死はある種の布施でもある。

№63

テヘランの死神《しにがみ》

裕福で力のあるペルシア人が、召使いをしたがえて屋敷の庭をそぞろ歩いていた。

すると、ふいに召使いが泣き出した。なんでも、今しがた死神とばったり出くわして脅されたと言うのだ。

召使いは、すがるようにして主人に頼んだ。「一番足の速い馬をお与えください。それに乗って、テヘランまで逃げていこうと思います。今日の夕方までにテヘランにたどり着きたいと存じます」

主人は召使いに馬を与え、召使いは一瀉千里《いっしゃせんり》に駆けていった。

館に入ろうとすると、今度は主人が死神に会った。主人は死神に言った。

「なぜわたしの召使いを驚かしたのだ、恐がらせたのだ」

すると、死神は言った。

「驚かしてなどいない。恐がらせたなどとんでもない。驚いたのはこっちだ。あの男にここで会うなんて。やつとは今夜、テヘランで会うことになっているのに」

運命からは逃れられない

ヴィクトール・E・フランクルの『夜と霧 新版』（池田香代子訳、みすず書房）の中に出てくる寓話である。『夜と霧』は、自らユダヤ人としてアウシュビッツ強制収容所に囚われ、奇跡的に生還した著者の体験記――原題は「強制収容所における一心理学者の体験」――である。著者が何を言わんとしてこの寓話を引用したのかを説明しよう。

アウシュビッツ強制収容所はナチス・ドイツによる「殺人工場」である。ここに収容されたユダヤ人で生き残ったのは数％にすぎず、一〇〇万人を超える人々が命を失ったとされる（死亡者数に関しては諸説あり）。

強制収容所に到着したユダヤ人は、収容理由、思想、職能、宗教、性別、健康状態などをもとに「労働者」「人体実験の検体」「価値なし」などに分けられた。「価値なし」と判断された人はガス室送りになった。

労働者に割りふられた人でも安心はできなかった。耐えがたい状況の中で、毎日が生き残りをかけた闘いだった。つらい労働と飢えと寒さで体力を奪われ、衰弱のひどい人たちは収容所内で広まった伝染病で亡くなっていった。何とか生き延びた人であっても、たびたびグループに分けられ、どこに入れられるかによって生死が分かれるのが常だった。生き残るには「働ける人間」だと見なされる必要があった。

知り合いがフランクルに「生きのびるためにすべきこと」を次のように話す。

頼むからこれだけはやってくれ。髭を剃るんだ。できれば毎日。わたしはガラスの破片でやっている。……そうすれば若く見えるし、頰がひっかき傷だらけでも血色はよく見える。病気にだけはなるな。病人のように見えちゃだめだぞ。命が惜しかったら、働けると見られるしかない。靴ずれみたいなほんのちょっとしたキズで足を引きずったら、ここでは命取りだ。……次の日にはガス室送り間違いなしだ。……もう一度言うぞ。髭を剃れ、立ったり歩いたりするときは、いつもびしっとしてろ。

フランクルの場合、「収容所に留まるか、病院収容所に移るか」という決断、あるいは「脱走を試みるか、やめておくか」という決断を迫られることが何回かあった。フランクルは一方を選び、生き延びることができた。もう一方を選んでいたらフランクルはこの世から姿を消していた。ただし、それはフランクルが賢明な判断をしたからではなく、たまたま運が良かったにすぎなかった。こういう理由でこっちのほうが生き延びる確率が高いと思っても、実際にはその通りにはならなかったことも何回かあった。

こういう状況の中でフランクルは「強制収容所の人間は徹頭徹尾、監視兵の気まぐれの対象」であり――フランクルは自分の身を守るために「けっして目立たない、どんなささいなことでも親衛隊員の注意を引かないこと」に必死だった――「運命のたわむれの対象」であることを思い知り、逆に自分が「主体性を持った人間であるという感覚」を喪失していく。

そうして、次第に意志を持つこと、決断を下すことに尻込みするに至る。彼は「何千もの幸運な偶然によって、あるいは望みなら神の奇跡によってと言ってもいいが、とにかく生きて帰った」と書いている。つまり、アウシュビッツで生死を分けたのは、自分の意志や選択ではなくて、幸運な偶然あるいは神の奇跡だったのだ。自分がどうなるかは圧倒的に運命に支配されている。フランクルはそう実感し、この寓話を引用したのである。

では、『夜と霧』の文脈から離れ、この寓話が私たちに何を教えてくれるかをまとめておこう。

人生は選択（コントロールできること）と、運命（コントロールできないこと）に左右される。ここでは運命を「人間の選択（意志や努力）を超越して、人間の一生（生死、幸不幸、苦楽など）を定め動かす力」と定義しよう。その上で、自分の人生がどういう軌跡を描くのかを考えてみよう。

人生の些末なことは選択によって変わってくる。それによって自分の未来を改変することができる。しかし、生死に関するような重大なこと――たとえばある人の寿命――はその人の選択でどうにかできるものではない。それは、人間の力（選択や意志や努力）を圧倒する運命の力が支配するのだ。人間は死ぬ時に死ぬということである。**自分の寿命についてあれこれ思い煩うな――それは運命が支配する。**

№64

人間として最高の幸せ

母親がアテネにあるヘラの神殿のお祭りに行きたいと言うので、たいへん親孝行な兄弟二人が牛車で連れていこうとした。

ところが、あいにく牛が農耕に出ていた。牛を迎えに行って戻ってきたら、お祭りに間に合わない。

そこで二人は「私たちが牛の代わりをします」と言って母親の乗った牛車を引っ張ってお祭りに出かけた。

ようやくヘラの神殿に到着すると、人々はその兄弟を誉めそやした。そして「親孝行な息子さんがいて本当に幸せね」と母親に言った。

母親は喜び、「親孝行な息子たちに、どうか人間として最高の幸せを授けてください」と神に祈った。

お祭りが終わり、食事をとった後、疲れていた兄弟はうたた寝をした。

ところが、二人はそのまま起きることなく、死んでしまった。

生きるのも良し、死ぬのも良し

「息子たちに人間として最高の幸せを授けてください」と母は神に祈った。母はどんなことを期待しただろうか。

おそらく、出世を果たすこと、社会的地位や名誉を手に入れること、お金持ちになること、結婚すること、子どもを授かること……あたりだろう。しかし、神は母の期待を裏切り、その兄弟を死なせてしまった。死こそが人間にとって最高の幸せだと、女神のヘラは考えたのだ。

この話は「世間の物差し」と「神様の物差し」の違いについて考えさせてくれる。物差しとは価値観であり、「何を良いものと考えるか」ということだ。

「世間の物差し」とは要するに世間の常識である。たとえば、お金持ちが良くて貧乏が悪い、健康が良くて病気が悪い、勉強できることが良くて勉強できないことは悪い……などは「世間の物差し」の最たるものだろう。神様はこういう「世間の物差し」とは違った考え方を示してくれる。

複数の物差しを手にしている人は、柔軟な思考力を持った人である。

生死に関して言えば、どちらか一つの物差しを選ぶ必要はないだろう。**振れ幅を持った思考で運命に身を任せれば「生きるのも良し、死ぬのも良し」という境地に達することができる。**

第13章

人生観と死生観

№65

増賀聖人《ぞうがしょうにん》の臨終

いよいよ臨終の日を迎えた増賀聖人（九一七〜一〇〇三年）は、龍門寺の春久聖人や弟子たちに「わしが死ぬのは今日じゃな。ちょっと碁盤《ごばん》を持ってきておくれ」と言った。

すぐに弟子たちは近くの部屋にある碁盤を取ってきた。仏像を置かれるのだろうかと訝《いぶか》しんでいると、増賀が「わしを起こしてくれ」と言うので、起こしてやった。

増賀は碁盤に向かうと春久を呼び「碁を一番打とう」と苦しい息で言った。念仏を唱えずに碁を打とうとは、さては物狂いされたかと悲しく思われたが、何といっても恐ろしくも忝《かたじけ》ない増賀聖人のこと、言葉に従って碁盤に向かい、十手ばかりお互いに打ち合うと、増賀は「もうよい、よい」と言って、石を崩してしまった。

春久が「どういうわけで碁をお打ちになったのですか」と恐る恐る尋ねると、増賀は答えた。

「いや、小法師の頃、人が碁を打っているのを見たのを、ただ今、念仏を唱えながらふっと思い出してな、それでちょっと打ってみようと思ったのじゃ」

増賀がもう一度「起こしてくれ」と言うので、起こしてやると、「泥障《あおり》を一つ探してきてくれんかの」と言う。

さっそく探して持ってくると「それを結んで、首にかけてくれ」と言う。

言うままに首にかけてやると、増賀は苦しげなのを我慢して、左右に腕を伸ばし、「古泥障を被って舞うてみようぞ」と二度、三度舞う格好をした。それから「除《の》けてくれい」と言うのに従って取り除いた。

春久がまたおずおずと「今度はどういうわけでお舞いになったのですか」と尋ねると、増賀は答えた。

「若い時、隣の部屋に小法師連中がたくさんおっての、大笑いしているのを覗いてみたら、一人の小法師が泥障を首にかけて踊りよるのじゃ。『胡蝶胡蝶とぞ人は言えども、古泥障をまきてぞ舞う』などと歌ってのう。それが面白く見えたものじゃ。ずうっと思い出しもしなかったものを、今ひょっと思い出してのう、やってみようかと思って舞ってみたのじゃ。今は思い残すことなぞ一切ないぞ」

それから人を払って、奥まった部屋に入り端座すると、口には法華経を誦《じゅ》し、手は金剛合掌の印を結んで、西方を礼拝しながら入滅された。亡骸は多武峰の山に埋葬された。

さて、最後に思い出したことは必ずやっておくべきである。これを知っているから、増賀聖人も碁を打ち、泥障を首にかけられたのである。

春久聖人だか誰かの夢に現れ、九品往生の第一位、上品上生に生まれ変わったと言ったとか、語り伝えているということである。

＊【泥障】馬の鞍につける革製の泥よけ。

「やりたいこと」を先送りしない

増賀聖人とは平安中期の天台宗の僧である。狂人をよそおって名利を逃れ、道心（仏道に帰依する心）を貫いた高僧として知られている。

この逸話の面白さは、増賀聖人が往生の際に思い出した欲求が重要なことではなくて、たわいもないことだった点だ。「自分の長年の欲求は往生の妨げになるので、果たせるものなら果たしておいたほうがよい」という教訓を導き出すことも可能であるが、この話自体は、昔のたわいもない欲求をふと思い出したので、ちょっとやってみたというだけの話だろう。

『最高の人生の見つけ方』（二〇〇七年）という映画がある。主人公は、たまたま同じ病室に入院することになったカーター（モーガン・フリーマン）とエドワード（ジャック・ニコルソン）である。

二人の共通点は、余命六ヶ月から一年と宣言されたことだ。二人は生まれも育ちもまったく異なっており、カーターは自動車整備工、エドワードは大富豪の実業家である。最初は何となくそりの合わない二人だったが、カードゲームをしたり、互いの人生について話をしたりするうちにだんだんと打ち解けていく。

ある時、カーターは黄色の紙に「棺桶《かんおけ》リスト」——棺桶に入る前にやっておきたいことを書いたリスト——を書きはじめる。その黄色い紙には「見ず知らずの人に親切にする」「泣くほど笑う」「荘厳な景色を見る」「憧れの車マスタングを運転する」と書かれていた。その紙を見つけたエドワードは、「スカイダイビングをする」「世界一の美女にキスをする」「入れ墨」……と自分のやりたいことを書き足し、カーターにこう言う。「大学を卒業してから四五年、家族のためにいろんなことを我慢してきたんだろう？　残りの人生は自分の好きなように生きるチャンスだ……俺はな、金だけはたんまり持っている。二人でこのリストを実行して残りの人生を楽しもう！」

逡巡するカーターに向かってエドワードは続ける。「選択肢は二つ。奇跡を信じて医学の実験台になるか。もしくは人生を楽しむか」——。しばらく考えた後にカーターは「スカイダイビングか！」と微笑む。「そうこなくっちゃ！」とエドワードは言う。そして二人は旅に出る。

先の逸話で登場したような「ささやかな欲求」であれ、映画に出てくるような「大きな欲求」であれ、今やりたいことを将来に先送りしないことを心がけたい。

やりたいことには旬がある。「これをやってみたい！」と思うことは、今それをすればあなたの脳がもっとも喜ぶ旬のものである。「これをやってみたい！」という高ぶりは必ずしも持続するとは限らない。時間とともにその高ぶりが冷めてしまうことも多い。

また、自分の気持ちはそのままでも、さまざまな制約条件――自分の健康状態の悪化、家族の世話や介護、大きな自然災害や戦争――が発生することで、したくてもできなくなるケースも考えられる。

さらには、先送りした「将来」が来るとは限らないのである。私たちは何となく、自分は平均寿命まで生きるものだと当然のごとく考えている。しかし、平均寿命はあくまでも平均であり、すべての人がそれまで生きられる保証はどこにもない。

まとめよう。「面白そうだな」「楽しそうだな」と思うことがあれば、「めんどくさいな」とか「もう少し落ち着いてから……」とかいう気持ちを振り払ってすぐに実行するべきなのである。**楽しみを先送りばかりしていると、その人は結局のところ何もしたいことをせずに人生を終えることになってしまう。**

№66

十《じっ》戒《かい》

天国の扉の前に、その日に死んだ人々の体内から何百という大量の魂が集まっていた。天国の扉の番人である聖ペドロは魂の交通整理に勤しんでいた。

「上からの指示で、十戒の教えに照らし合わせて三つの組に分けます。最初の組は、十戒のすべての掟《おきて》を破ったことのある者。次の組は、十戒のすべてではないがいくつかの掟を破ったことのある者。最後の組は、ここが一番大人数になると思いますが、十戒のすべての掟を一度たりとも破ったことのない者です」

聖ペドロが「では、十戒のすべての掟を破ったことのある者は右側に寄ってください」と言うと、半分を超える魂が右側に寄った。次に「では、十戒のすべてではないがいくつかの掟を破ったことのある者は左に寄ってください」と言うと、残りのほとんどすべての魂が左に寄った。正確に言えば、一つの魂を除いた全部だった。

中央には善良な人間であった魂が一つ残っただけだった。これは、人生の最初から最後まで、自分の良心に従い、善い行いをしてきた者の魂だった。

聖ペドロは、最良の魂の組にたった一つの魂しか残らなかったことに驚いた。直《ただ》ちに神と話をすることにした。

「どうにもまずいことになりました。最初の案に従いますと、中央に残ったあの哀れな魂は、善良であった恩恵を受ける代わりに、究極の孤独の中で恐ろしいほど退屈しきってしまうでしょう。何か考えなければなりません」

神はしばらく考えた後、みんなに向かってこう言った。

「自らの行いを悔いる者は許され、その過ちはなかったことになるであろう。罪を悔いる者は純粋潔白な魂のいる真ん中に戻ってよい」

少しずつ、すべての魂が中央に向かって動きはじめた。

その時、「待て！　不公平だ！　詐欺だ！」という叫び声がした。それは十戒のすべての掟を一度たりとも破ったことのない魂の声だった。

「そんなのはおかしい！　もしも許されるとわかっていれば、人生を無駄になどしなかったのに……」

禁欲主義と快楽主義

「神が人々に与えた十の決まりごと」を十戒という。その内容は次の通りである。

第一戒「あなたには、わたしのほかに、なにものをも神としてはならない」
第二戒「あなたは自分のために、刻んだ像を造ってはならない」
第三戒「あなたは、あなたの神、主の名を、みだりに唱えてはならない」
第四戒「安息日を覚えて、これを聖なる日とせよ」
第五戒「あなたの父と母を敬え」
第六戒「あなたは殺してはならない」
第七戒「あなたは姦淫してはならない」
第八戒「あなたは盗んではならない」
第九戒「あなたは隣人について、偽りの証言をしてはならない」

第十戒「あなたの隣人の家を欲しがってはならない」

一～四の戒めは神と人との関係、五～十の戒めは人と人との関係を表している。

さて、寓話の中に登場する人は、十戒を厳格に守った人（以下A）、それをまったく守らなかった人（以下B）、両者の中間に位置する人（以下C）に分かれる。Aは当然のことながら、BやCよりも格段に良い待遇を与えられると考えた。しかし「自らの行いを悔いる者は許され、犯した過ちはなかったことになる」という神様の一言で、BやCであってもこの場で悔い改めさえすればAと同等の扱いを受けられることになる。これを聞いたAは、不公平だ、詐欺だと怒る。まあこれは当然のことである。「そういうことがあらかじめわかっていたら、自分だってBやCのように自由奔放に生きたさあ～～。ああ、俺は人生を無駄にしてしまった――」と嘆いた。こういう笑い話である。

どの宗教であれ、ほとんどの信徒はその宗教の価値観を全体として受け入れていたとしても、すべての教えを実践する人は非常に少ない。いくつかの教えについては守るけど、いくつかの教えは実践しないというのが大多数だ。これが実際のところである。

そもそも社会のルールというのはなぜあるのだろうか。世の中の人が例外なくルールを守るのなら、ルールは必要ないことになる。すべての人が安全運転をするのなら、スピード制限をする必要はない。逆説的に言えば、ルールとは破る人がいるからこそ作られるのであり、つまりは「ルールとは破ることを前提にして作られている」ことになる。

多くの宗教では禁欲主義を推奨し、快楽主義を批判している。倫理的な感覚からすれば快楽を追求して生きるよりも、禁欲的に生きたほうが正しいように思える。しかし、本来の快楽主義というのは、生きていく中で生じる欠乏への欲望を満たした上で、それ以上の不必要な欲望に心が乱されることなく、静穏な心の状態に至った時に得られる「魂の快楽」を求めるものだ。

したがって、**欲望に振り回されて心がかき乱されることがないように賢く節制して生きる**という考えに近い。肉体的・精神的な欲望を否定しないこと、自分の欲望の内実と方向性をはっきりさせること、取捨選択した欲望を満たすため上手に節制する術を極めることなどが実際的な指針になるのではないか。

№67

花咲かじいさん

昔々、あるところに、おじいさんとおばあさんが住んでいた。

二人は子どもがいなかったので、シロという犬をとてもかわいがっていた。ある日、シロが畑でほえた。

「ここ掘れ、ワンワン、ここ掘れ、ワンワン」

「おや？　ここを掘れと言っているのか。よしよし、掘ってやろう」

おじいさんが掘ってみると、なんと、地面の中から大判と小判がザクザクと出てきた。


この話を聞いた、隣の欲張りじいさんは「わしも、大判小判を手に入れる。おめえのシロを、わしに貸してくれや」と言って、シロを無理矢理、畑に連れて行った。嫌がるシロがキャンキャン鳴いたところを掘ってみると、臭いゴミがたくさん出てきた。

「この役立たずの犬め！」

怒った欲張りじいさんは、なんと、シロを殴り殺してしまった。

シロを殺されたおじいさんとおばあさんは、泣く泣く、シロを畑に埋めてやった。そして棒を立ててお墓を作った。

次の日、おじいさんとおばあさんがシロのお墓参りに畑へ行ってみると、お墓の棒がひと晩のうちに大木になっていた。

おじいさんとおばあさんは、その木で臼を作って餅をついた。すると不思議なことに餅の中から宝物がたくさん出てきた。

それを聞いた、隣の欲張りじいさんは「わしも餅をついて宝を手に入れる。おめえの臼を、わしに貸してくれや」と言って、臼を無理矢理借りると、自分の家で餅をついてみた。しかし、出てくるのは石ころばかりで、宝物は出てこない。「いまいましい臼め！」。怒った欲張りじいさんは、臼を斧で叩き割ると、焼いて灰にしてしまった。

大切な臼を焼かれたおじいさんはがっかりしながらも、灰をザルに入れて持ち帰ろうとした。その時、風で灰が飛ばされて、枯れ木にフワリとかかった。すると、どうだろう。灰のかかった枯れ木に、満開の花が咲いたのだ。

うれしくなったおじいさんは「枯れ木に花を咲かせましょう」と言いながら、次々に灰をまいて、枯れ木に美しい花を咲かせた。

〈大きないのち〉と〈小さないのち〉

『花咲かじいさん』の要約を紹介した。江戸時代の初期に成立したと言われるこの話は、心優しいおじいさんと欲張りじいさんが対比的に描かれていてわかりやすい。最後の場面――心優しいおじいさんが灰をまくと、枯れ木に花が咲く――が「死と再生」をイメージさせる点で、たいへん印象深いところである。

この話にはたくさんの類話がある。ただ、ほとんどすべての話が枯れ木に「花」を咲かせると書いてあり、花の種類は特定されていない。梅や桃でもよいかもしれないが、やはりここは桜でなければいけない。

桜は不思議な花である。私たちは満開の桜が放つ美しさを讃える一方で、散りゆく桜にも別の種類の美しさを感じる。満開の桜を美しいと感じるだけならば、その状態を保ったまま咲き続けることを望みそうなものだ。しかし、桜という花は「三日見ぬ間に」ぱっと散るからこそ桜なのである。要するに、桜はぱっと散るからこそ美しいと日本人は思っている。その心情の中身をみると、私たちの儚い生と桜が散ることが重ねられている。つまり、桜の美しさには、今この場での視覚的な美しさに加えて、散りゆく様を想像したときに連想される儚さも含まれているのだ。

さて、心理学者の河合隼雄は「昔話は荒唐無稽なように見えて、長い年月を生き抜いてきただけに、なかなか深い意味を持っていることが多い」と言う（『新装版　おはなしの知恵』朝日文庫）。この話についても「ものごとの変容する過程がなかなか興味深く描かれている」と述べ、次のように考察している。

老いても人間は生きている。しかし、人間としての頭脳はそれほどにははたらかない。「動物のような」なんて陰口を言われるかも知れない。年寄りは惨めなものだ、犬のようにただ食べたり、動いたりしているだけだ、と冷たく言う人もある。……そして、老人は、次に「植物人間」になったり、植物みたいな状態になったりする。もう人間としては何の役にも立たないので、せめてその臓器でも他人のために役立てたら、と考える人もある。……植物状態の次に、人間は「灰」にされる。生命あるものは、ここに完全な終わりを迎える。

しかし、果たしてほんとうにそうだろうか。「花咲爺」の話は、ここでもっとも素晴らしい転回点を迎える。灰は思いがけないはたらきをする。死んだと思われていた木に生命を与え、それを一挙に花咲かせる。生命の最盛期の姿をそこに現前させる。生命あるものは変容を繰り返し、姿を驚くほどに変化させるにしろ、それは無くなることはない。灰は無かも知れない。しかし、それは有を生み出す無である。

老人は動物のような状態になり、次に植物のような状態になり、そして最後は灰にされる。灰になった状態で私たちの命はひとまず終わりを迎えるが、この灰が枯れて死んだと思われていた木に新しい生命を吹き込むことになる。

つまり、生命あるものは変容を繰り返していくということ――その姿や形は変わっていくにせよ、それが消えてなくなるわけではないのだ。こういった河合の読みをヒントに、私の読みを以下にまとめてみよう。

一つ目の読み。たとえば私たちにとって身近な存在である水をイメージしてみよう。水を冷やせば氷ができるし、水を温めれば水蒸気になる。水蒸気になれば、肉眼でその姿形を確認できなくなる。しかし、水の分子であるH_2Oは氷であっても水蒸気であっても

H_2Oである。空気中に漂う水蒸気になってもH_2Oは永遠に消えない。人間も同じようなものだと考えることもできる。

二つ目の読み。命には二つの意味が含まれており、これを整理しないと論理は混乱をきたす。したがって、命を「生命」と「いのち」に分けて考察する必要がある。

「生命」とは「閉じられて限定された命」を意味し、自然科学的（医学的あるいは生物学的）なとらえ方である。この考え方は、私たちの命は固体内に閉じ込められており、唯一無二で代替が利かない存在という認識である。

一方の「いのち」とは「開かれて連続する命」を意味し、人文科学的（哲学的あるいは仏教的）なとらえ方である。これは、私の命は私という個体の中に閉じ込められているわけではなくて、私という個体の枠を超えて他の個体と無限に連関しているというとらえ方である。これは、伝統的な生命観の一つであるアニミズム——生物、無生物を問わずすべてのもの中に霊魂が宿っているという考え方——と類似する。

命を「いのち」としてとらえれば、次のような論が展開できる。私のいのちは他のいのちと断絶しているわけではなくて、私のいのちは他のいのちと連続しており、多種多様ないのちのつながりの中に位置している。自分の〈小さないのち〉は自分を超えた〈大きないのち〉（＝自然や人類）の一部であるとも言えるし、逆に、自分の〈小さないのち〉の中には、自分を超えた〈大きないのち〉がはたらいているとも言える。

こう考えれば、「私がいのちを持っている」という表現よりも、「いのちが私をしている」あるいは「いのちが私として現れている」という表現のほうが実態を適切にとらえているように思える。**自分が死ぬということは、自分が生まれた時に預かった〈小さないのち〉を〈大きないのち〉へと返すこと**だ。ただし、自分の〈小さないのち〉が消滅するにせよ、〈小さないのち〉としてしばらくの間だけ現前していた私は、〈大きないのち〉の一つの要素として目には見えない形ではたらき続けるのである。

どういう死生観を持つかは自由である。ただ、命を生命とだけとらえた「死ねば無になる」という死生観には救いがない。それよりも、命をいのちとしてとらえて「死んでも完全に無くなるわけではない。何らかの形で命は続いていく」という死生観のほうが救われるのは確かだ。

№68

時間のない王様

人類の歴史を知りたいと思った王は、ある賢者に五〇〇冊の本を持ってこさせた。国事に忙しい王は賢者に要約を命じた。

二〇年後、賢者が戻ってきて、歴史は五〇冊にまとめられていたが、もはや歳をとっていた王はそんなにたくさんの本を読めないので、さらに短くするように命じた。

さらに二〇年後、白髪の老人となった賢者は王が求めていた知識を一冊の本にまとめて持参した。しかし、王はすでに死の床にあり、その本すら読む時間はなかったので、賢者はたった一行で人類の歴史を教えた。それはこのようなものだった。

人は生まれ、苦しみ、死ぬ。人生に意味はなく、人は生きることで何かの役に立つことはない。生まれようが生まれまいが、生きようが死のうが、どうでもいいのだ。生きることにも死ぬことにも意味はない。

人生無意味説と人生ペルシャ絨《じゅう》毯《たん》説

サマセット・モームの『人間のしがらみ（下）』（光文社文庫）という小説に登場する寓話である。これはイソップ寓話のように実践的な教訓を伝えようとする話ではなくて、「人生は無意味である」という人生観（以下「人生無意味説」と略す）を表現するために作られた話であろう。では、「人生無意味説」の根拠となっているのは何か。寓話の前に記されている文章を読んでみるとわかる。

宇宙をめぐる太陽の衛星である地球の上で、生き物はこの惑星の長い歴史のある一瞬に生命を得て、生まれたときと同様、別の一瞬に死んでゆく。他の生命体と同じ意味しかない人類は、創造物の頂点として現れたのではなく、地球環境への物理的反応として生まれたにすぎない。

このくだりの後に「フィリップ（小説の主人公）は東方の王様の話を思い出した」と続き、寓話が語られる。フィリップが「人生無意味説」の根拠としているのは、要するに「宇宙論的ニヒリズム」の真理である。

「宇宙論的ニヒリズム」とは何か。『新版　逆説のニヒリズム』（渋谷治美著、花伝社）を参考にしながら説明しよう。

「宇宙論的ニヒリズム」を一言でまとめれば「この宇宙はいずれ滅び、人類も必ず滅びる日がくる。よって、我々の一人ひとりの人生にはいかなる意味もない」という考え方だ。この考え方は、天文学・生物学・人類学などの科学的知見を踏まえた上で、種としての人間の存在の意味を考えていく論理の中から導かれる。人類はもともと何らかの目的や使命を与えられて誕生したわけではない。人間は他の生物の頂点に立つような特別な存在ではなく、この地球上にいても不思議ではないが、いなくても構わない存在である。いつの日か人類は滅びるだろう。もちろん人類が絶滅した後も地球は存在し続けるだろう。しかし、その地球にも、その外にある太陽系や銀河系にだって寿命がある。やがて宇宙にも終わりはやってくる。

「宇宙論的ニヒリズム」と聞いて思い出すのは、映画『アニー・ホール』（監督・主演ともウディ・アレン）の冒頭シーンである。

「ビッグバン以降、宇宙は膨張し続けており、いつか破裂してバラバラになり、すべてが終わってしまう」という理由で宿題をやらない少年アルビィ、少年の母親、医者が会話をする場面。少年は「宿題に何の意味があるんだ」と自分の正当性を主張する。母親は「宇宙と宿題に何の関係があるの？　あなたはブルックリンにいるのよ！　ブルックリンは膨らんではいないのよ！」と困惑する。医者は「まだ何十億年も膨らまないよ、アルビィ。生きている間は楽しまなくちゃ」と少年をなだめる。

大人の立場からすれば、少年アルビィの言い分——宇宙がやがて無に帰してしまうのに、自分が学校の宿題をすることに一体全体どういう意味があるのか——は滑稽《こっけい》に思える。しかし、少年にとっては、母親と医者の凡庸で薄っぺらな答えのほうが滑稽に思えるのだ。

話を戻そう。「宇宙論的ニヒリズム」を拠《よ》り所として、個人の生きる意味を考えようとするとき、そこにはさまざまな感情が沸き上がってくる可能性がある。意気消沈する人もいるだろうし、戸惑う人もいるだろうし、気が楽になる人もいるだろう。小説の主人公フィリップは気が楽になるどころか、有頂天になった。この境地にたどり着いた喜びをフィリップは次のように表現する。

責任という最後の重荷がふっと消えたように感じ、初めて完全に自由になったのである。自分の意味のなさは力となって、自分を追い立てていたように思われた残酷な運命に対して急に対等に向き合えるように感じられた。というのも、もし人生に意味がないなら、この世に残酷さなどなくなるからだ。何を成し遂げたか、何ができなかったかなどどうでもいい。失敗しても関係なく、成功しても意味がない。

フィリップは自分自身を「短いあいだ地表に群がって生息する人類の中のもっとも取るに足らない生き物でしかない」ととらえた。神は存在せず、人生には外から与えられる意味はないと考えた。意味を剥奪《はくだつ》された人生とは、どんな人生の選択肢も既存の宗教や道徳、社会規範から束縛を受けないということだ。もはや何に対しても気兼ねなく、自由闊達《かったつ》に振る舞って生きればいい――そういう無敵の境地にフィリップは到達したのである。

この境地に達したとき、彼はもう一つの人生観である「人生ペルシャ絨毯説」にたどり着いた。これは登場人物の一人である詩人、クロンショーの思想がベースになっている。その内容は、ペルシャ絨毯の職人が精巧な模様を織り上げていくように、人も自分の人生を一つの模様に織り上げていったらよいのだという考え方である。

職工が己の美的感覚を満足させたいがゆえにどこまでもこった模様を織るように、人は人生を生きていく。……何かをしなければならないということはないし、またしたからといって何かの益があるわけでもない。ただしたいからそうするだけなのだ、人の行為、感情、思考といった人生のさまざまな出来事から人は模様を作る。

「人生ペルシャ絨毯説」によれば、**過去に生じた不幸せや苦悩、惨めさなどは、念入りに織り上げられた美しい装飾の一部でしかない**。美しい絨毯には、光沢だけでなく、陰影も必要であることを思い出そう。それは、ネガティブな出来事であってもそのすべてを喜んで受け容れる態度と相通ずる。

「人生ペルシャ絨毯説」をつかんだフィリップは、自分の人生を離れた場所から見られるようになったと感じた。以前のように人生に振り回されなくなった気がした。そして、未来とやがて来る自分の死さえ恐れる必要はないという心境に至った。未来に何が起ころうと、これからは自分の人生模様をさらに複雑にするモチーフとなるだけだ。人生の終わりが近づけば、ペルシャ絨毯が完成に近づいていることを喜べばいい。それは一つの芸術作品となるだろう。ただし、その存在を知るのは自分だけであり、自分の死をもって直ちに消え去るがゆえにそれは美しいのである。

最後に補足とまとめをしておこう。『人間のしがらみ』で語られているのは、主人公フィリップが何人かの女性と出会い、別れ、最後には結婚に至る過程と、フィリップが自分に適した仕事を探索しつつも心の底から自分が納得できる人生観に達する過程である。彼が手に入れた人生観はキリスト教を否定した上で到達した「人生無意味説」と、詩人クロンショーが唱える「人生ペルシャ絨毯説」の二つであった。これらは二つでワンセットになっている。そこには自己受容と自己本位という特徴が見てとれる。

自己受容とは自分の生まれや育ち、身体的特徴、過去に起きた出来事、そして未来に起きる出来事、やがて来るであろう自分の死など、そのすべてをただ受容するのみという態度である。

他方、自己本位とは、判断や行動の基準を自己に置くことである。既存の宗教や社会規範、他人の意見に惑わされずに、自分の感じ方や考え方に自信を持ち、自己を手放さないということだ。ただし、自分と同様に他人にも自己があり、自分自身の「自己」と同等に他者の「自己」もまた尊重する思想なので、いわゆる利己主義とは一線を画する。

第14章

環境問題と人類の責任

№69

共有地の悲劇

ある農村での話である。この村の住民はそれぞれ自宅で牛を飼っていた。

牛たちは、村共有の牧草地で放牧され、草を食《は》んで成長した。

村人は牛の乳を搾ったり、ときに牛を市場で売ったりして生活を営んでいた。長い間、村人の生活は安定していた。

しかし、ある時一人の村人が牛の数を増やすことにした。

子牛を何頭も買ってきて共有地で放牧し、大きくなったら売りさばいた。こうしてその村人は成功し、金持ちになった。

それを脇で見ていた他の村人たちは「よし！　おれも牛の数を増やそう！」と考え、実行に移した。

みんなが牛の数を増やせば、村共有の牧草地で放牧される牛の数もどんどん増えていく。一方、共有地の面積には限りがあるため、そこで育つ牧草の量にも限りがある。やがて牧草は食べ尽くされ、牛たちは死んでしまった。

結局、村人たちはお金を損して、以前よりも貧しい生活を強いられることになった。

地球という共有地をどう守っていくか

伊勢武史は、この寓話を「人間が環境問題を引き起こすメカニズムの核心をついている」と述べ、その意味するところを次のように説明している（『2050年の地球を予測する』ちくまプリマー新書）。

この物語の登場人物は向上心に富んだ農民たちである。なんとかして自分の生活を豊かにしようと知恵を絞り、工夫をこらしている。彼らは馬鹿ではないので、みんなが牛の数を増やしはじめたとき、やがて牧草が食べ尽くされてしまうことは予期できただろう。しかし、誰一人として牛の数を減らそうとはしなかった。自分だけが牛の数を減らしたとしても、他の村人が牛の数を増やすのならば、焼け石に水だからである。将来の破滅がわかっていても、牛の数を増やす動きは止められないのだ。

「宇宙船地球号」という言葉がある。地球という惑星を一つの乗り物に喩《たと》えた言葉で、人間のみならず動物や植物などすべての生き物たちが〝地球〟という名の宇宙船の乗組員であり、人間は乗務員の一人として責任ある行動をとることの必要性を訴える概念である。

広大な宇宙から見れば地球はちっぽけな点にすぎない。そういう極小の場所で生きていこうとするならば、乗組員全員が協力しながら生活しなければいけない。乗組員の誰かが——これはもっぱら人間なのだが——自分勝手で無茶な行動をすれば、「閉じた系」(外界との間にエネルギーの出入りはあるものの物質の出入りがない系)である宇宙船地球号の環境は悪化し、とたんに乗務員全員の生命が危機に瀕《ひん》してしまう。

共有地の悲劇を避けるにはどうするか。一つはそれを私有物にすることだ。しかし、大気や水のようなものを私有物にするのは難しい。もう一つは、ルールを作ることである。社会の構成員がルールを守るように監視し、違反者にはしかるべき措置を講じることだ。

地球は有限である。だから、そこに存在する資源も有限である。人間が排出する物質(二酸化炭素や窒素酸化物など)を薄めてくれる大気や水も有限である。こういう当たり前のことに対して見て見ぬふりをしながら、人間は資源の浪費を重ねてきたし、今もそれは続いている。私たちは、**他の生物に迷惑をかけないように、未来の世代が困らないように、ルールに則って地球という共有地を守っていかなければいけない。**

№70

ぬるま湯の中のカエル

熱湯に飛びこんだカエルは危険を察知してすぐに逃げた。

しかし、そのカエルも、ぬるま湯に飛びこんでゆっくり熱せられると、逃げないでじっとしている。

温度はどんどん上がっていくが、カエルは動こうとしない。

ついにカエルは死んでしまった。

緩《かん》慢《まん》な変化には危機意識がはたらきにくい

この話はもともと、一九九八年に出版された『組織論』(桑田耕太郎、田尾雅夫著、有斐閣アルマ)の中で「ベイトソンのゆでガエル寓話」として紹介され、日本で広く知られるようになった。

居心地のよいぬるま湯のような状態に慣れきってしまうと、事業を取り巻く外部環境の変化に気づけず、致命傷を負ってしまう——そういうビジネス上の教訓を伝える話として取り上げられたのだ。

ここでは地球温暖化を考えるための寓話として取り上げようと思う。

この寓話は、ドキュメンタリー映画『不都合な真実』(アル・ゴア主演、二〇〇六年)の中で紹介されて話題となった。地球で生きている人間を「カエル」に、地球温暖化の実態を「徐々に熱くなっていくお湯」に喩《たと》えたのである。映画の中でアル・ゴアは「人間の判断力はカエルと同じ。衝撃を加えられないと危険を察知しにくい。もし、実際に危険が迫っていても——緊急でないとみれば、じっとしていて動かないのです」と話している。

カエルの場合は死を免《まぬが》れるためには鍋の外に逃げればいい。しかし、人間の場合は、地球環境が劣化したからといって地球の外に飛び出すわけにはいかない。人類にとって地球は唯一無二の生存場所なのだ。

また、温暖化の対策をすぐに実行したとしても温暖化はすぐには止まらない。これまで排出してきた温室効果ガスの蓄積があるため、その効果が出るのは数十年先ということになる。つまり、対策と効果には何十年ものタイムラグがあるのだ。

地球環境は緩慢ではあるものの確実に劣化している。急激な変化には危機意識がはたらくのに対し、緩慢な変化だとその状態に慣れてしまって、その問題に対処するタイミングを逸《いっ》しやすい。

No.71

リベット仮説

物語の舞台は飛行場に隣接している整備工場である。はしごに乗って翼のリベット（物を接合する金具）を引き抜く作業をしている男がいた。私は彼に「何をしているんですか？」と聞いた。すると男は「航空会社は、このリベットが一個二ドルで売れることに気がついたんですよ」と答えた。「でも、そんなことをして大丈夫なんですか？　翼が脆《もろ》くならないとどうしてわかるんですか？」と私は聞いた。

「まったく心配はいりません。飛行機は必要以上に強く作ってあることは確かです」。男は自信満々だ。「現に、見てくださいよ、翼はまだ胴体から外れていないじゃありませんか。それに、リベット一個につき五〇セントの手数料が私に入るんですよ」

男は笑みを浮かべた。少し恐くなった私は「あなた、気は確かですか？」と聞いた。

「心配する必要はないと言っているでしょ。自分が何をしているかくらいはわかっています。実際問題として、私もこの飛行機の次のフライトに乗ることになっているんです。だから、あなたもまったく心配する必要はありません」

絶滅が絶滅を誘発する

航空機の構造を説明しておこう。航空機は、空気の力から揚力を得ると同時に全体の姿勢や進行方向を制御する〈翼〉、機体を前進させるとともに翼に揚力を与えるための推力をもたらす〈エンジン〉、操縦装置と操縦者、搭乗者、貨物などを搭載する〈積載部〉、エンジンの燃料を搭載する〈燃料部〉などから構成される。これらの構成物を一つの乗り物として結合する部品がリベット（鋲）である。大型旅客機に使われるリベットの数はなんと一〇〇万本以上もあるという。

ここで取り上げた寓話は、航空機のリベットを地球の生態系を構成する種に、航空機の各構成部（翼、エンジン、積載部、燃料部など）を自然の環境要素（大気、水、土壌など）に喩《たと》えた話である。

航空機に使用されている大量のリベットは、必要とされる場所でしっかりとその役目を果たしている。重要な部位のリベットが脱落すれば、その構成部の機能に重大なダメージが生じる。それほど重要ではないリベットが脱落しても問題ないかというとそうでもない。一つのリベットが脱落すると、周辺にある他のリベットに負荷がかかってしまい、そのリベットが破損したり、脱落したりして事故につながることもある。

同様に、ある種の絶滅は何ら大きな影響がないように思えても、他の種の絶滅を誘発し、絶滅が連鎖的に発生することで生態系全体に深刻な影響を与える危険性が高い。

では、そもそも生物多様性はなぜ大事なのだろうか。一種類の草しか生えていない牧草地と、複数の草が生えている牧草地を比較してその生産性を考えてみよう。

牧草地には起伏があるために、乾いた場所と湿った場所が存在する。草は種類によって湿った場所を好むもの、乾いた場所を好むものがある。草の多様性が高いと、牧草地のさまざまな環境に適した草が生えてくるので全体として生産性が高くなる。

また、生態系はいつでも同じ状態が続くわけではない。大雨の年や干ばつの年が繰り返されるのが普通である。雨に強い草と干ばつに強い草の両方が生えていれば、大雨や干ばつに見舞われてもどちらかが生き残れる。さらに病気が流行することもあるだろう。そんなとき、草の種類が一種類だけでは草原の草が全滅する危険性が高くなる。しかし、草の種類が複数あれば、草原全体に及ぶ病気の影響を最小限にとどめることができる。要するに、**生物多様性が高ければ高いほど、生態系の生産力、持続可能性、安定性が高まる**ということだ。

では、そもそも地球上にはどれだけの生物が存在するのだろうか。生物多様性研究の先駆者エドワード・ウィルソンは、一九九二年の著書の中で、地球上の既知の種の数を一四〇万種、地球上のすべての生物種の数を一〇〇〇万～一億の間と見積もっている（『生物多様性とは何か』井田徹治著、岩波新書）。

現在の生物は、四〇億年ほど前に最初に地球に生まれた生物――おそらく単細胞の細菌のような生物――がさまざまな種に分化して形成されてきた。現代の科学技術力をもってすれば、過去六億年にわたる生物種の数の変化はおおよそ推定できる。

その六億年の中で急速に生物種の数が減少した時期が五つある。最初の大絶滅は四億四〇〇〇万年前、二回目の大絶滅は三億六五〇〇万年前、三回目の大絶滅は二億四五〇〇万年前、四回目の大絶滅は二億一五〇〇万年前に起きている。五回目の絶滅が起きたのは六五〇〇万年前のことである。恐竜やアンモナイトが絶滅したほか、海の底生生物やプランクトンの大多数が姿を消し、地上の植生も多くが失われ、生物の七〇％超がいなくなったとされる。この大量絶滅は、地球に直径一〇キロほどの小惑星が衝突して大規模な環境変動を引き起こしたためだという説が有力である。

ウィルソンは、今この地球上で「第六の大絶滅」が進行していると警鐘を鳴らす。言うまでもなく〈人間の仕業〉である。では、どれくらいの速度で生物が絶滅しているのか。

ウィルソンは、熱帯林が破壊される速度などをもとに、きわめて控えめな推定値として、熱帯林の一〇〇〇万種の生物のうち、一年間で二七〇〇〇種が絶滅しているとしている。一方、人間の活動と関係なく自然に起こる生物の絶滅は一〇〇〇万種につき一年あたり一〇種と考えられている。この推定値は熱帯雨林に限られているものの、地球全体に広げて考えてみても差し支えないだろう。そうすると、人間の活動によって絶滅する数と、自然に絶滅していく数には二七〇〇倍もの開きがあることになる。つまり、**人間のさまざまな活動によって、地球上の生物の絶滅速度は二七〇〇倍速くなっている**ということだ。

№72

五〇〇着の衣服

アーナンダはウダヤナ王のお妃であるジャマヴァティーから五〇〇着もの衣服をもらい受けた。

これを聞いた王は、アーナンダがむさぼりの心から服をもらったのではないかと疑った。

王はアーナンダを訪ねて聞いた。

「五〇〇着もの衣服を一度にもらい受けてどうするのか?」

アーナンダは答えた。

「大王よ、多くのお坊さんは破れた衣を着ているので、彼らにこの衣を分けてあげます」

「それでは、破れた衣はどうする?」

「破れた衣で敷布を作ります」

「古い敷布はどうする?」

「枕の袋にします」

「古い枕の袋は?」

「床の敷物に使います」

「古い敷物は?」

「足拭きを作ります」

「古い足拭きはどうする?」

「雑巾にします」

「古くなった雑巾は?」

「大王よ、私どもは、その雑巾を細かくして、泥と混ぜ合わせて、家を作るとき壁の中に入れます」

第一にリデュース、第二にリユース、最後にリサイクル

私たちは生活の中で多くの布類を使っている。必要なくなった布類の多くは、市区町村によって資源物として回収され、集められた布類は古着や布を扱う業者によってリサイクル工場に運ばれる。リサイクル工場に運ばれた布類にはおもに三つの用途がある（『調べよう　ごみと資源2　紙・牛乳パック・布』松藤敏彦監修、小峰書店）。

①中古衣類として再使用、②ウエス（汚れを拭き取るぼろきれ）に加工、③反毛に加工して再利用の三つである。反毛とは「毛にかえす」ことで、もともとは毛織物を毛に戻すことを意味した。反毛はフェルト（叩いて薄いクッションのように固めたもの）に加工され、自動車の座席の中身などに使用されたりする。

資源を大切にするためのキーワードに「3R」がある。リデュース（Reduce：発生抑制）、リユース（Reuse：再使用）、リサイクル（Recycle：再生利用）の頭文字をとって3

Rと呼ばれる。布類に当てはめて考えてみよう。

＊リデュース：無駄な服を買わない、長く着られるデザインの服を選ぶ。
＊リユース：破れや綻《ほころ》びは修繕して着る、着られなくなった服はフリーマーケットに出して他の人に使ってもらう。
＊リサイクル：資源回収に出して、反毛やウエスの材料にする。

この3Rには優先順位がある。第一にリデュース、第二にリユース、そして最後にリサイクルという順番である。リサイクルの工程では多くのエネルギーが使われ、結果として大気中にたくさんの二酸化炭素を排出することになるからだ。

繊維は大きく天然繊維と合成繊維に類別できる。天然繊維は綿や麻などの植物からとるものと、羊毛や絹などの動物からとるものがある。これらの天然繊維ははるか昔から使われてきた。この寓話に出てくるのは天然繊維から作られた衣服である。

一方の合成繊維は一九三五年に発明されたナイロンをはじめ、アクリルやポリエステル、ポリウレタンなどがよく知られている。これらはおもに石油を原料として製造されている。

近年、合成繊維の服による環境汚染が注目を集めている。合成繊維の衣類は、耐久性が高いこと、しわになりにくいこと、安価であることなど多くのメリットがある。しかし、その一方で、合成繊維から作られた服を洗濯することによって、細かい繊維（マイクロプラスチック）が家庭から出る。マイクロプラスチックとは、プラスチックが粉砕され直径五ミリメートル以下に小さくなったものを指す。

たとえばフリースのジャケットを一回洗うと最大二グラムのマイクロプラスチックが発生するという（『海洋プラスチック汚染』中嶋亮太著、岩波書店）。排水されたマイクロプラスチックは下水処理施設にたどり着き、汚泥に沈殿させて除去される。しかし、除去率一〇〇%とはいかず、どんなに高性能な処理施設であっても、その除去率は九八〜九九%である。すり抜けたマイクロプラスチックは「浄化された水」と一緒に海へと流れ出す。

汚泥の中に除去されたマイクロプラスチックはどこに行くのだろうか。多くは焼却・埋め立てされるが、一部は農地利用される。汚泥の中に隠れていたマイクロプラスチックは雨風によって流され、飛ばされ、結局は川や海に流れこむ。

プラスチックは自然分解されないので、半永久的にゴミとして海に残ってしまう。海に流れ出たマイクロプラスチックを海洋生物が体内に取り込み、海の生態系を壊すという悪影響を与えている。人体に与える具体的な影響は解明されていないものの、マイクロプラスチックを摂食した海洋生物を人間が食べることで、有害な化学物質が人体の中に蓄積され、免疫力低下をはじめとした何らかの健康被害を受ける危険性が指摘されている。

マイクロプラスチックの流出を防ぐために私たちにできることは何か。

合成繊維の服を選ばずに自然素材から作られた服を購入すれば、洗濯によって流出するマイクロプラスチックをゼロにできる。また、マイクロプラスチックの流出をかなり抑えられる洗濯ネットを使うのも有効だ。

№73

三匹のカエル

三匹のカエルが牛乳の容器の中に落ちた。

悲観主義のカエルは、何をしてもどうせ駄目だと考えて、何もせずに溺れ死んだ。

楽観主義のカエルは、何もしなくても結局上手くゆくだろうと考えて、何もせずに溺れ死んだ。

現実主義のカエルは、カエルにできることはもがくことだけだと考え、もがいているうちに、足もとにバターができたので、バターをよじ登り、一跳びして容器の外へ逃げた。

現実主義者だけが現状を打開できる

専門家や政治家だけでなく普通の市民であっても、今まさに起きているさまざまな社会の問題——地球温暖化や自然破壊といった環境問題だけでなく、戦争、核軍縮、貧困、経済格差、難民、人身取引なども含めて——にどのような態度で臨むかが問われている。

ここでは、地球温暖化を事例として取り上げ、悲観主義者、楽観主義者、現実主義者はどんな人なのかを考えてみよう。

悲観主義者は地球温暖化が起きていることは認めるのだが、それへの反応は消極的である。「もうすでに手遅れである」という諦めの気持ち、「そもそも人間は環境を壊す生き物である」という開き直りなどが混じり合って、行動を起こすことをためらう。

楽観主義者は悲観主義者よりもその内実が複雑であり、以下の三つの立場が入り交じっている。

一つ目は地球温暖化が起きていること自体を認めない人たちだ。「地球温暖化なんてウソだ」という「トンデモ科学」が未だに幅をきかせている。インターネットで検索すれば「地球温暖化なんて大ウソだ」と唱える懐疑論があふれている。温暖化の事実を認めないのだから切迫感がないのは当然のことであり、威勢のいい楽観的な言動を振りまくだけである。

二つ目は、地球温暖化は何ら〝問題〟ではないと主張する人たちだ。たとえば、地球温暖化によってかえって人間の住める場所が増えるから、それはむしろ良いことだと主張するような人たちである。確かに、これまで人が住めないほど寒かった地域が暖かくなって住みやすくなることはあるかもしれない。しかし一方で、豪雨や洪水が頻発することで人々の生活や農業に支障をきたすようになるし、海抜の低い島では海面上昇によって人が住めなくなる地域も出てくる。地球温暖化は〝問題〟ではないと言う人は、自分に都合のいい事実だけを取り上げ、自分の主張を否定する事実は無視する。

三つ目は、地球温暖化は確かに起きていてそれは人類にとって重大な問題ではあるものの「一時的な問題にすぎず、新しい科学技術がすべてを解決してくれるから心配には及ばない」と考える人たちだ。いわゆる「科学技術万能主義者」の立場の人で、人為的な力

（科学技術の力）が自然の力を凌駕できると信じている。環境問題への対応によって経済成長が抑制されるのを恐れる人がこういう立場をとることが多い。

悲観主義者と楽観主義者は行動変容を起こさないので両方とも溺れ死ぬ。両者とも対策に向けた行動を起こさないのだから、現状を打開することはできない。

現実主義者だけが現状を打開できる――これが言いすぎであるのならば、現実主義者だけが現状を打開できる可能性を持っている。

現実主義者の特徴は三つにまとめられる。第一に**科学的なものの見方をすること**。別の言い方をすると、批判的思考――すなわち一つの情報を無批判に受け入れるのではなく、多様な角度から検討し、論理的・客観的に理解する態度――を堅持することである。

第二に**希望を捨てないこと**。人間は自分たちのライフスタイルや社会システムをより良い方向に変えていけるという希望を失わないことである。

第三に、**完璧さを求めないこと**だ。自分の生き方や社会の在り方、政策などにケチをつけようと思えばどんなケチでもつけられる。一〇〇点じゃないならゼロ点でいいという態度だと、有効な対策を立てられず、環境は悪化するばかりである。

第15章

「人間らしさ」と徳

№74

三人の盗賊《とうぞく》

昔インドに悪知恵のはたらく三人の盗賊がいた。

ある時、三人は大金持ちの家に押し入り、全員を縛り上げて、たくさんの金貨と食料を奪って山に戻った。

何日かすると食べ物がなくなったので、くじを引いて、一人が山を下りて町で食料を買ってくることにした。

一人が町に出かけた留守に二人の盗賊が相談をした。

「あいつが帰ってきたら、バッサリ斬り殺してしまおう。そうすれば、金貨を二人で山分けできる」

町で食料と酒を調達した一人が山道を登ってきた時、岩陰から二人の盗賊が襲いかかり、殺してしまった。

「上手くいったぞ。さあ、二人で金貨の山分けだ。いや、その前に祝い酒だ」

そう言って二人の盗賊は酒を口にした。すぐに二人は血ヘドを吐いてのたうち回り、死んでしまった。

酒の中に毒が入れてあったのだ。

町に下りた盗賊も、毒の入った酒で二人を殺し、金貨を独り占めしようと企《たくら》んでいたのだった。

悪知恵と浅知恵

悪事を上手く成就させるための頭のはたらきを「悪知恵」という。三人すべてが悪知恵のはたらく人間であったために、全員が命を落とす羽目になってしまった。

悪知恵と似た言葉に「浅知恵」がある。浅はかで思慮深さに欠ける頭のはたらきを言う。盗賊一人ひとりは、自分だけでなく自分以外の人間も悪知恵のはたらく人間であると予測できなかった。その点で知恵が浅かったということだ。

自分の知恵を悪事のために使うのか、善事のために使うのか。ここで、倫理という言葉が関係してくる（『サル化する世界』内田樹著、文藝春秋）。倫の原義は「なかま」である。だから倫理とは「他者とともに生きるための理法」ということだ。他者とともに生きるときに、どういうルールに従えばいいのか。「この世の人間たちがみんな自分のような人間なら自己利益が増大するかどうか」を自分に問えばよいのである。

No.75

風呂屋の前の石

ある日、イソップは主人のシャントに「風呂屋へ行って混んでいるかどうか見てこい」と言われた。イソップは「はい」と返事をして出かけていった。

ところが、風呂屋の前にとがった石が転がっていて、イソップはそれに蹴つまずいてしまう。他の人も蹴つまずくのだが、「くそっ」とか「ちぇっ」とか罵《ののし》るだけで風呂へと急ぐのだった。

そのうちに一人の男が現われ、「よいしょ」と石を抱えて脇に取り捨てた。

イソップは家に戻ると主人に「風呂屋には一人きりでした」と報告した。

「おおそうか。今のうちだな」

シャントが行ってみると、風呂屋の中は人で溢れ返っていた。

風呂から戻ったシャントは「イソップ、なぜ嘘を言った?」と問い詰めた。

するとイソップはこう言い返した。

「風呂屋の前にとがった石があって、みんながつまずいていました。でも、その石を取り除いたのは、たった一人でした。人間らしい人間はたった一人でした」

人間らしい人間

石を取り除いた人は人間らしい人間、石を取り除かなかった人は人間らしからぬ人間ということになる。

この話の作者が考える人間らしさとは「他者への思いやり」があるかどうかであろう。思いやりとは一般的に「他人のことを親身に考え、察したり気を配ったりすること」を意味する。相手の身の上に起きたこと、そのときの相手の気持ちをあたかも自分のことのように考えて、心配し気づかうことを「思いやりのある行動」などと表現する。

この思いやりをどこまで広げられるかが問われるべきだ。自分の家族や同僚への思いやりだけでは狭すぎる。今地球上に生きている人への思いやりはもちろんのこと、これから生まれてくる未来世代への思いやり、人間以外の種に対する思いやりへと理論上は広げていける。それは結局のところ、どれくらいの時間意識、どれくらいの空間意識の中に自分を位置づけられるかと関係してくる。

№76

地獄湯と極楽湯

どちらの風呂も満員で、ぎゅうぎゅう詰めの状態だった。

一方の地獄湯ではみんながケンカをしている。「肘がぶつかった」「湯がかかった」と大きな声が響いていた。

他方の極楽湯では誰もケンカをしていない。とても静かで、楽しそうな笑い声が響いていた。

よく見ると、地獄湯ではみんな自分で自分の背中を洗おうとしていた。だから、隣の人に肘がぶつかったり、湯がかかったりした。みんなが自分のことしか考えていないから、いたるところでケンカが起きていたのだ。

極楽湯では、円《まる》く輪になって、みんなが他の人の背中を洗って、流してあげていた。

みんなが他の人の背中を洗うことによって、結局は自分で自分の背中を洗っていたのだ。

人間は一人では生きていけない

地獄湯の人たちはみんな自分のことしか考えていない。おそらく他人のことは眼中に入っていない。他人は邪魔者であり、その場からいなくなればいいとさえ思っている。

一方、極楽湯の人たちはお互いに他者を信頼しており――他人に自分の背中を預けるのは信頼の証である――その空間には助け合いの精神が息づいている。

地獄湯と極楽湯の違いは、人と人の心がつながっているかどうかでもある。極楽湯の人は地獄湯の人とは違って「**人間は一人では生きていけない**」**ことを知っている**からである。

それは「一人では淋しいから」という意味ではない。私たちは無数の他者のおかげでこれまで生きてきたし、現在も生きているし、これからも生きていくということだ。ここで言うところの他者とは家族や地域住民、同僚、同時代に生きている人々、すでにあの世に逝ってしまった人々、地球という自然、植物や動物、人類が作りあげてきた技術環境や伝統、慣習、法律などのあらゆることを含んでいる。

№77

ロベルト・デ・ビセンゾの逸話

アルゼンチン出身のロベルト・デ・ビセンゾは、一九六七年の全英オープンで優勝した実績を持つ名プロゴルファーだ。

彼はあるトーナメントで優勝すると、賞金の小切手を受け取ってカメラに向かって微笑み、クラブハウスに戻って帰り支度をしていた。しばらくしてから、一人で駐車場の自分の車に向かっていると、一人の女性が近づいてきた。彼女は、彼の勝利を称えた後でこう言った。

「私には重い病気で死にそうな赤ちゃんがいます。でも、医者に診せる費用や入院費をどうやって払えばいいのかわからないのです……」

哀れに思ったデ・ビセンゾは、ペンを取り出して、受け取ったばかりの小切手にサインをした。

「これが少しでも赤ん坊のためになるといいね」

そう言って、彼女の手に小切手を押しこんだ。

翌週、デ・ビセンゾがカントリークラブで昼食をとっていると、プロゴルフ協会の職員がテーブルにやってきた。

「駐車場にいた人たちから聞いたんだが、先週、君がトーナメントに勝った

後、車に乗り込もうとした時、若い女が来たそうだね」

デ・ビセンゾはうなずいた。

「でね、君に伝えないといけないことがある。彼女は詐欺師なんだ。病気の赤ちゃんなんかいないんだ。結婚してさえいないんだ。君はだまされたんだ」

「すると、病気で死にかけている赤ちゃんはいないってことですか？」

「その通りだ」

職員が気の毒そうに答えると、デ・ビセンゾはほっとしたような顔になってこう言った。

「そうですか、病気で死にかけている赤ちゃんはいないんですね……それは今週、聞いた中で一番いい知らせですよ」

同情、心の広さ、慈悲《じひ》という徳

このエピソードをもとに作られたと言われている有名なCMがある。「ジョニー・ウォーカー 黒ラベル」のテレビCMだ。簡単に紹介しよう。

冒頭、グラスに入ったウィスキーが映しだされる。そして、夜の薄暗い町で物乞いをする女性へと場面が変わり、その女性に一人の男が何枚かのお札を渡す。この男をバーのカウンターに座って待っていた友人は、窓越しにその一部始終を見ていた。

何事もなかったようにバーに入ってきた男に友人が少しばかり皮肉っぽい笑顔を向ける。

「よお、だまされたな。今の人、病気の子どもがいるって言ったろ。あれ、嘘なんだ」

すると男は微笑んだ。

「よかった……病気の子どもはいないんだ」

二人はにっこり笑ってグラスを合わせた。

デ・ビセンゾの逸話をたどってみよう。職員から、あの女は詐欺師で、病気の赤ちゃんなんていないという事実を聞いたデ・ビセンゾは、どういう態度をとる可能性があったのだろうか。

普通ならば、まず嘘をついた女に対する怒りが沸き上がってきて、次に自分のお人好しさと馬鹿さ加減にあきれ、自己嫌悪に陥りそうなものだ。しかし、彼はそうはならなかった。その女が嘘をついた事実はともかくとして「病気で死にかけている赤ちゃんはいない」という事実を知って安堵した。デ・ビセンゾみたいな人を世間では素晴らしい人間性を持った人物、立派な人格を備えた人物、徳のある人という表現で称える。

デ・ビセンゾのとった行動を分析してみると、デ・ビセンゾは**同情、心の広さ、慈悲という三つの徳**を備えていると考えられる。

同情とは、他人の苦悩や不幸を自分のことのように思いやって労《いたわ》ることである。他人の苦悩や不幸を気にしない利己主義とは相いれないし、それを喜ぶ非情さとは対極にある。

心の広さとは与える徳であり、その人に足りないものを自分が提供することである。自分のお金や時間を他人に与えるという点で気前のよさという徳と近い。

慈悲とは許しの徳であり、恨みの対極にある。もちろん、相手の言動を許すには限度がある。通常、それは誰もが犯しがちな小さな過ちだけに限定され、殺人や強盗などの凶悪犯罪は除外される。

デ・ビセンゾのように、スポーツ選手としての技能のみならず、素晴らしい人間性を持った人物として思い浮かぶのはロサンゼルス・エンゼルス所属の大谷翔平選手ではないか。〝史上初〟の投打同時のダブル規定達成はまさに人間離れした偉業であることは間違いない。それに加えて彼が注目を集めるのはその人間性の素晴らしさである。

打者を打ち取った際、バットが折れてその破片が大谷投手の近くに飛んできた時、彼はすぐさまそれを拾い上げ、満面の笑顔で打者に返す。グラウンドにゴミが落ちていれば、それをごく自然に拾ってポケットに入れる。マスコミから「なぜゴミを拾うのか?」と聞かれた彼はこう答えている。「ゴミは人が落した運。ゴミを拾うことで運を拾う。それが自分にツキを呼ぶ。高校の先生からそう教えられたから」――まったくもって素晴らしい。

こういったエピソードのほか、何気ないしぐさの一つ一つに彼の人柄がにじみ出ている。審判や相手チームの選手に対する敬意とフレンドリーさ、少年少女のファンに対する思いやりとサービス精神、グランドで見せる笑顔、その一挙手一投足に魅了されない人はいない。彼は心から野球を愛し、楽しんでいることがわかる。

大谷選手の振る舞いを見ていると「徳を積む」というフレーズが思い浮かぶ。現代日本語で徳というと、どこか型にはめられたような堅苦しいイメージ、上から下へ押しつけられるようなイメージがつきまとう。

しかし、西洋の哲学においての徳はそういうものではなく、むしろ人間に人間らしい力を与えるものと位置づけられてきた。古代以来、人間は徳を身につけることによって、人間としての真の喜びを得られるとか、この世界の豊かさをありありと感じ取れるようになると言われてきた。

徳という言葉――原語はギリシア語の「アレテー」――はもともと「優れていること」という意味である。つまり人間の優れている点が徳ということになる。この徳というのは私たち人間の中に種子のように蓄えられており、生きていく中で開花させていくものである。**徳を積むと人生の楽しさや喜びが減じるわけではなくて、むしろそれらが増加していく。徳を積む行為によって何らかの損を被るわけではなく、むしろ得をする**のである。

参考文献

第1章

◆「糸毬」：『エピクロスの園』（アナトール・フランス著、大塚幸男訳、岩波書店）と「魔法の糸」（『魔法の糸』ウィリアム・J・ベネット編著、大地舜訳、実務教育出版）を元に著者がアレンジ。

◆「黒白二鼠のたとえ」：『大法輪　二〇一九年二月号』（大法輪閣）。原典は『仏説譬喩経』『衆経撰雑譬喩』『賓頭盧突羅闍為優陀延王説法経』等。

◆「寿命」：『完訳グリム童話集　3』（グリム兄弟著、池田香代子訳、講談社）の要約。

◆「ヘレン・ケラーの逸話」：『最善主義が道を拓く』（タル・ベン・シャハー著、田村源二訳、幸福の科学出版）

◆「人生の長さ」：『老いを愉しむ言葉』（保坂隆著、朝日新聞出版）。原典は『四十二章経』の第三十七章。

◆「邯鄲の夢」：『中国奇想小説集―古今異界万華鏡』（井波律子編訳、平凡社）より「枕中記」の要約。

第2章

◆「強欲な牛飼い」：『捨てちゃえ、捨てちゃえ』（ひろさちや著、PHP研究所）

◆「修道女の研究」：『ポジティブ心理学』（小林正弥著、講談社）

◆「罰とご褒美」：『HAPPIER』（タル・ベン・シャハー著、坂本貢一訳、幸福の科学出版）

◆「体験代替装置」：『アナーキー・国家・ユートピア（上）』（ロバート・ノージック著、嶋津格訳、木鐸社）の中に出てくる思考実験を著者がアレンジ。

◆「二倍の願い」：『仏教に学ぶ老い方・死に方』（ひろさちや著、新潮社）

◆「わが家を広くする方法」:『ユダヤジョーク』(ジャック・ハルペン著、六興出版)

第3章

◆「ビュリダンのロバ」:『100の神話で身につく一般教養』(エリック・コバスト著、小倉孝誠、岩下綾訳、白水社)、『人生の価値　それとも無価値』(ひろさちや著、講談社)を参考に著者がアレンジ。

◆「成功の秘訣」:『英語で「ちょっといい話」』(アーサー・F・レネハン編、足立恵子訳、講談社インターナショナル)

◆「大嫌いなサンドイッチ」:『癒しの旅』(ダン・ミルマン著、上野圭一訳、徳間書店)

◆「無神論者と信仰心の厚い男」:ブログ「quipped」(https://j.ktamura.com/archives/this-is-water)、『これは水です』(デヴィッド・フォスター・ウォレス著、阿部重夫訳、田畑書店)

◆「ハワード・ライファの逸話」:『選択の科学』(シーナ・アイエンガー著、文藝春秋)

第4章

◆「田舎道を歩く男」:インターネット上に掲載されている話を元に著者がアレンジ。

◆「夜盗の術」:『禅と日本文化』(鈴木大拙著、北川桃雄訳、岩波書店)。原典は『五祖録』。

◆「山月記」:『現代語訳名作シリーズ②　山月記』(中島敦著、小前亮訳、理論社)の要約。

◆「一切れのパン」:『光村ライブラリー・中学校編 1巻』(光村図書)より「一切れのパン」(F・ムンテヤーヌ著、直野敦訳)の要約。

◆「二人の煙突掃除夫」:『ユーモア大百科』(野内良三著、国書刊行会)

第5章

◆「画家ロセッティと老人」:『あなたに奇跡を起こす小さな100の智恵』(コリン・ターナー著、早野依子訳、P

HP研究所）
◆「説教師になりたかった子ども」：『徒然草』第一八八段の前半。現代語訳は『解説　徒然草』（橋本武著、ちくま学芸文庫）を参考にした。
◆「呉下の阿蒙」：『中国史で読み解く故事成語』（阿部幸信著、山川出版）
◆「寝の丘を願え」：『春秋戦国の処世術』（松本肇著、講談社）。原典は『呂氏春秋』。
◆「甚次郎兵衛さんの駿担ぎ」：『子どもに聞かせたい法話』（仏の子を育てる会編著、法藏館）
◆「タコと猫」：『松谷みよ子の本〈第8巻〉昔話』（松谷みよ子著、講談社）
◆「ウサギとカメ①」：『イソップ寓話集』（中務哲郎訳、岩波書店）
◆「ウサギとカメ②」：『世界昔ばなし（下）アジア・アフリカ・アメリカ』（日本民話の会編訳、講談社）

第6章

◆「二つの時計」：『ユーモアのレッスン』（外山滋比古著、中央公論新社）
◆「ウサギを追う犬」：『英語で「ちょっといい話」』（アーサー・F・レネハン編、足立恵子訳、講談社インターナショナル）
◆「ジャナカ王とアシュタバクラ」：『解決志向の実践マネジメント』（青木安輝著、河出書房新社）
◆「わらしべ長者」：『日本の古典をよむ⑮　宇治拾遺物語・十訓抄』（小林保治、増古和子、浅見和彦訳、小学館）
◆「買い物をする母と娘」：『Q・次の2つから生きたい人生を選びなさい』（タル・ベン・シャハー著、成瀬まゆみ訳、大和書房）

第7章

◆「粉薬」：『昔話に学ぶ「生きる知恵」④　女の底力』（藤田浩子著、一声社）
◆「馬鹿」：『聴耳草紙』（佐々木喜善著、筑摩書房）

◆「吸血コウモリの恩返し」:『ごきげんな人は10年長生きできる』(坪田一男著、文藝春秋)
◆「最後通牒ゲーム」:『最後通牒ゲームの謎』(小林佳世子著、日本評論社)
◆「邪教徒とお釈迦様」:「仏教ウェブ講座」(https://true-buddhism.com/teachings/abuse/)を元に著者がアレンジ。原典は『雑阿含経』。
◆「狼と仔羊」:『イソップ寓話集』(中務哲郎訳、岩波書店)

第8章

◆「絞首台に向かう男」:『ユダヤの民話　下』(ピンハス・サデー著、秦剛平訳、青土社)
◆「石工」:『学校家庭話の種』(石川榮司著、育成會)
◆「泥の中の亀」:『荘子寓話選』(千葉宗雄編、竹井出版)
◆「幸運なハンス」:『グリムの昔話 3』(フェリクス・ホフマン編、大塚勇三訳、福音館書店)

第9章

◆「消えた提灯」:『禅談《改訂新版》』(澤木興道著、大法輪閣)
◆「三つの鏡」:『中国の古典　貞観政要』(湯浅邦弘著、KADOKAWA)
◆「老錬金術師の知恵」:『熟年のための童話セラピー』(アラン・B・チネン著、羽田詩津子訳、早川書房)
◆「山の上の火」:『山の上の火』(ハロルド・クーランダー、ウルフ・レスロー著、渡辺茂男訳、岩波書店)の要約。
◆「二つの贈り物」:『しあわせ仮説』(ジョナサン・ハイト著、藤澤隆史、藤澤玲子訳、新曜社)

第10章

◆「ウサギとライオン王」:『三分間で語れるお話』(マーガレット・リード・マクドナルド著、佐藤涼子訳、編書房)

◆「ソロモンの忠告」：『イタリア民話集（下）』（河島英昭編訳、岩波書店）

◆「余桃の罪」：『春秋戦国の処世術』（松本肇著、講談社）。原典は『韓非子』。

◆「カーライルの助言」：『人を動かす「名言・逸話」大集成』（鈴木健二、篠沢秀夫監修、講談社）

◆「鋳物師と盤珪禅師」：『捨てちゃえ、捨てちゃえ』（ひろさちや著、ＰＨＰ研究所）

◆「子どもと泥棒の教え」：『ユダヤの民話　下』（ピンハス・サデー著、秦剛平訳、青土社）

第11章

◆「一〇〇歳まで生きる方法」：『教訓例話辞典』（有原末吉編、東京堂出版）

◆「ルービンシュタインの逸話」：『話が長くなるお年寄りには理由がある』（増井幸恵著、ＰＨＰ研究所）

◆「女神エオスの恋物語」：『大人の教養としてのギリシア神話読本』（あまおかけい著、言視舎）、『図解雑学ギリシア神話』（豊田和二監修、ナツメ社）を元に著者がアレンジ。

◆「祖死父死子死孫死」：『仏教とっておきの話366―秋の巻―』（ひろさちや著、新潮社）

第12章

◆「石とバナナの木」：『世界神話事典』（大林太良、伊藤敦彦、松村一男編、角川書店）

◆「死にたくない男」：『大人の心に効く童話セラピー』（アラン・Ｂ・チネン著、羽田詩津子訳、早川書房）

◆「テヘランの死神」：『夜と霧』（ヴィクトール・Ｅ・フランクル著、池田香代子訳、みすず書房）

◆「人間として最高の幸せ」：『ヘロドトス　歴史　上』（松平千秋訳、岩波書店）を元に著者がアレンジ。

第13章

◆「増賀聖人の臨終」：『今昔物語』巻一二第三三話「多武峯の増賀聖人の語」の一部。現代語訳は『今昔物語集 本朝仏法部　上巻』（佐藤謙三校註、角川書店）を参考にした。

◆「十戒」：『寓話セラピー』（ホルヘ・ブカイ著、麓愛弓訳、めるくまーる）

◆「花咲かじいさん」：『よみきかせおはなし絵本１』（千葉幹夫編著、成美堂出版）。一部省略。

◆「時間のない王様」：『人間のしがらみ（下）』（サマセット・モーム著、河合祥一郎訳、光文社）

第14章

◆「共有地の悲劇」：『2050年の地球を予測する』（伊勢武史著、筑摩書房）

◆「ぬるま湯の中のカエル」：映画『不都合な真実』（デイビス・グッゲンハイム監督、2006年）

◆「リベット仮説」：「寓話から学ぶ」（山本太郎著、長崎新聞2009年2月7日「うず潮」）

◆「五〇〇着の衣服」：『やわらか子ども法話』（桜井俊彦著、法藏館）

◆「三匹のカエル」：『夕陽妄語　第三輯』（加藤周一著、朝日新聞社）

第15章

◆「三人の盗賊」：『子どもと読みたい　ほとけさまのおはなし』（藤祐樹、木村慎、酒井義一他著、東本願寺出版）

◆「風呂屋の前の石」：『イソップを知っていますか』（阿刀田高著、新潮社）

◆「地獄湯と極楽湯」：『仏教法話大事典』（ひろさちや著、鈴木出版）

◆「ロベルト・デ・ビセンゾの逸話」：『英語で「ちょっといい話」』（アーサー・F・レネハン編、足立恵子訳、講談社インターナショナル）

ディスカヴァー携書 248

人生の道しるべになる　座右の寓話

発行日　2023年5月26日　第1刷
　　　　2024年6月12日　第4刷

Author　戸田智弘
Book Designer　鈴木千佳子
Publication　株式会社ディスカヴァー・トゥエンティワン
〒102-0093　東京都千代田区平河町2-16-1 平河町森タワー11F
TEL　03-3237-8321（代表）　03-3237-8345（営業）
FAX　03-3237-8323
https://d21.co.jp/

Publisher　谷口奈緒美
Editor　千葉正幸　星野悠果

Distribution Company　飯田智樹　蛯原昇　古矢薫　佐藤昌幸　青木翔平　磯部隆　井筒浩　北野風生　副島杏南　廣内悠理　松ノ下直輝　三輪真也　八木眸　山田諭志　小山怜那　千葉潤子　町田加奈子

Online Store & Rights Company　庄司知世　杉田彰子　阿知波淳平　大﨑双葉　近江花渚　滝口景太郎　田山礼真　徳間凜太郎　古川菜津子　鈴木雄大　高原未来子　藤井多穂子　厚見アレックス太郎　金野美穂　陳玟萱　松浦麻恵

Product Management Company　大山聡子　大竹朝子　藤田浩芳　三谷祐一　千葉正幸　中島俊平　青木涼馬　伊東佑真　榎本明日香　大田原恵美　小石亜季　舘瑞恵　西川なつか　野﨑竜海　野中保奈美　野村美空　橋本莉奈　林秀樹　原典宏　星野悠果　牧野類　村尾純司　元木優子　安永姫菜　浅野目七重　神日登美　波塚みなみ　林佳菜

Digital Solution & Production Company　大星多聞　小野航平　馮東平　森谷真一　宇賀神実　津野主揮　林秀規　福田章平

Headquarters　川島理　小関勝則　田中亜紀　山中麻吏　井上竜之介　奥田千晶　小田木もも　佐藤淳基　仙田彩歌　中西花　福永友紀　俵敬子　斎藤悠人　宮下祥子　池田望　石橋佐知子　伊藤香　伊藤由美　鈴木洋子　藤井かおり　丸山香織

Proofreader　株式会社鷗来堂
DTP　株式会社RUHIA
Printing　共同印刷株式会社

ISBN978-4-7993-2947-4
JINSEI NO MICHISHIRUBE NI NARU ZAYUU NO GUUWA by Tomohiro Toda

携書ロゴ：長坂勇司
携書フォーマット：石間　淳